SONIA BENEZRA

JE NE REGRETTE *presque* RIEN

De la même auteure

Pourquoi moi ? – Ma vie chez les Juifs hassidiques,
Éditions Libre Expression, 2013

LISE RAVARY

SONIA BENEZRA

JE NE REGRETTE *presque* RIEN

LES ÉDITIONS
PUBLISTAR
Une société de Québecor Média

Catalogage avant publication de Bibliothèque et Archives nationales du Québec et Bibliothèque et Archives Canada

Ravary, Lise
    Sonia Benezra : je ne regrette presque rien
    ISBN 978-2-89562-586-5
        1. Benezra, Sonia. 2. Personnalités de la radio et de la télévision - Québec (Province) - Biographies. I. Titre. II. Titre : Je ne regrette presque rien.

PN1990.72.B462R38 2014   791.45092   C2014-941926-0

Édition : Johanne Guay
Révision linguistique : Sylvie Dupont
Correction d'épreuves : Sabine Cerboni
Couverture et grille graphique intérieure : Axel Pérez de León
Mise en pages : Axel Pérez de León
Photo de l'auteure : Sarah Scott
Photo de couverture : Crila pour crilaphoto.com

Remerciements
Nous reconnaissons l'aide financière du gouvernement du Canada par l'entremise du Fonds du livre du Canada pour nos activités d'édition.
Nous remercions le Conseil des Arts du Canada et la Société de développement des entreprises culturelles du Québec (SODEC) du soutien accordé à notre programme de publication.
Gouvernement du Québec – Programme de crédit d'impôt pour l'édition de livres – gestion SODEC.

Les Éditions Publistar
Groupe Librex inc.
Une société de Québecor Média
La Tourelle
1055, boul. René-Lévesque Est
Bureau 300
Montréal (Québec) H2L 4S5
Tél. : 514 849-5259
Téléc. : 514 849-1388
www.edpublistar.com

Dépôt légal – Bibliothèque et Archives nationales du Québec et Bibliothèque et Archives Canada, 2014

ISBN : 978-2-89562-586-5

Distribution au Canada
Messageries ADP inc.
2315, rue de la Province
Longueuil (Québec) J4G 1G4
Tél. : 450 640-1234
Sans frais : 1 800 771-3022
www.messageries-adp.com

Diffusion hors Canada
Interforum
Immeuble Paryseine
3, allée de la Seine
F-94854 Ivry-sur-Seine Cedex
Tél. : 33 (0)1 49 59 10 10
www.interforum.fr

I've learned that people will forget what you said, people will forget what you did, but people will never forget how you made them feel.

« J'ai appris que les gens oublieront ce que vous avez dit, ils oublieront ce que vous avez fait, mais ils n'oublieront jamais ce que vous leur avez fait ressentir. »

Maya Angelou

Je dédie ce livre à ma mère, Perla, une véritable perle au sein de notre famille, et à mon père, Albert, jamais oublié.

Chapitre 1

Ma famille, mon nid

Je suis née le 25 septembre 1960, à l'Hôpital général juif de Montréal. J'ai été un bébé heureux, puis une fillette joyeuse.

Dernière de quatre enfants, j'ai été conçue par des parents aimants, eux-mêmes nés de parents amoureux, et j'ai été entourée et choyée par toute ma famille, même si, après trois filles, mes parents avaient bien sûr souhaité l'arrivée d'un garçon…

Je suis la seule des filles Benezra à être venue au monde au Québec. Esther, Kelly et Myriam ont vu le jour au Maroc, avant que mes parents émigrent au Canada en 1958. Je ne me définis pas comme une immigrante, mais j'ai grandi au sein d'une famille d'immigrants juifs marocains dont j'ai bu l'expérience jusqu'à la lie. Il va sans dire que cela a marqué ma vie. J'ai été élevée dans une famille extraordinaire. Nous avions peu d'argent, même si je l'ai longtemps ignoré, mais nous étions milliardaires en amour.

Ce n'est qu'à huit ans que j'ai pris conscience de notre condition modeste. Le jour de mon anniversaire, ma mère, une formidable cuisinière, m'avait organisé une fête. Elle avait tout préparé elle-même, y compris le gâteau (même si j'aurais préféré celui de chez Woolworth, qui était si invitant). J'étais fière de recevoir mes copines à la maison jusqu'à ce que j'entende mon amie Tammy dire à mon amie Debbie : « Je ne peux pas croire qu'ils vivent tous ici. C'est tellement petit ! Où dorment-ils ? » C'était la première fois que je ressentais de la honte. Je n'avais jamais remarqué que notre appartement était tout petit. Je dormais sur le sofa-lit du salon avec ma sœur Myriam, ce même sofa où nous nous entassions pour regarder la télévision en famille. Rien d'anormal pour moi. Mes amies vivaient sur la rue Ekers ou sur la rue Bedford, tout près de la rue Barclay, où nous avons habité pendant quinze ans ce petit appartement, un cinq et demi pour six personnes dans une conciergerie de Côte-des-Neiges.

À l'époque comme aujourd'hui, ce quartier était un point de chute prisé des nouveaux arrivants. S'y loger ne coûtait pas cher, et il y avait des synagogues tout près. Ma tante Viviane, mon oncle Max et leurs trois enfants habitaient l'appartement 10 ; nous vivions au 7. Nous passions nos journées à monter et à descendre les escaliers entre les deux logis. Je me souviens encore de la voix de ma tante qui chantait en faisant la vaisselle. Quand nous voulions lui parler, nous n'avions qu'à taper sur un tuyau qui traversait l'édifice de haut en bas pour attirer son attention.

Max et Viviane ont immigré au Canada quelque temps après mes parents. Pour les accueillir, mon père avait déjà loué, meublé et décoré un appartement. Ils arrivaient les poches vides. Les membres de ma famille sont donc venus à Montréal avec leurs effets personnels pour tout bagage. On se trompe si on croit que tous les Juifs marocains qui sont venus s'établir au Québec vivaient comme des pachas. Mes parents n'ont jamais possédé une automobile au Québec, alors qu'au Maroc ils avaient non seulement une belle voiture mais également un chauffeur. Ma sœur Esther a été la première Benezra à s'offrir une auto au Canada, une Plymouth Volare quatre portes 1977.

L'un des événements les plus marquants de mon enfance est lié à tante Viviane, une femme remarquable. Nous l'appelons Tita Biba, à la manière espagnole. Peu de gens savent que l'espagnol est ma langue maternelle ; mes parents vivaient à Tanger, dans la partie espagnole du Maroc, et mon père est né en Espagne.

Viviane a eu trois enfants, Judith, Abie et Nissim. Un après-midi d'hiver, elle m'a demandé de m'occuper de mon cousin Abie le temps qu'elle aille faire quelques courses au centre-ville. Je n'avais que cinq ans, et Abie avait quatre mois. Aujourd'hui, les voisins appelleraient la DPJ, mais à l'époque, dans les communautés immigrantes tricotées serrées où tout le monde se connaissait, ce genre de choses se faisait couramment.

Je me sentais très responsable, très mature pour mon âge et capable de prendre soin de bébé Abie, que j'adorais. Mais pendant que j'étais partie chercher quelque chose chez moi, Nissim, son frère aîné – il avait quatre ans –, a enfermé Abie dans l'appartement par étourderie. Comme je n'avais pas la clé, j'ai pensé que la fin du monde était arrivée, mais j'ai vite repris mes esprits. Sans manteau et chaussée des petites bottes blanches à la mode que ma mère m'avait achetées, je me suis précipitée chez le garagiste au coin de la rue ; vous n'avez jamais vu des petites bottes blanches courir aussi vite… Je voulais savoir comment je pouvais me rendre chez Eaton pour trouver ma tante. J'ai vite compris que c'était impossible, mais j'ai eu la bonne idée d'aller sonner chez notre concierge, qui habitait l'immeuble voisin, et de lui demander de briser la vitre pour que je puisse secourir ce pauvre Abie. Je n'avais que cinq ans !

Ma sœur Myriam, qui revenait dans l'autobus 160 Côte-des-Neiges à ce moment précis, a vu une petite fille courir sans manteau et s'est dit : « Tiens, elle a des bottes blanches, comme ma sœur. » C'était bel et bien sa sœur. Dans l'autobus qui l'emmenait au centre-ville, tante Viviane, elle, a pressenti qu'il se passait quelque chose à la maison. Elle a fait demi-tour et est arrivée au moment même où le fils du concierge s'apprêtait à briser le carreau. Nous avons trouvé mon cousin Abie dans son lit, sain et sauf. Il pleurait et il était couvert de cette substance brune malodorante qu'on voit habituellement au fond des couches des bébés. Il y en avait partout. Pauvre petit, il était si malheureux ! J'avais tellement de peine pour lui. Sans pouvoir nommer ce sentiment, j'avais découvert l'empathie…

Tita Biba a été merveilleuse, comme toujours. Elle m'a donné 5 dollars pour me féliciter d'avoir gardé la tête froide. Encore aujourd'hui, Abie et moi entretenons un lien particulier. Abie a été cameraman à MusiquePlus avant de devenir directeur des opérations techniques, poste qu'il a occupé pendant dix-sept ans. Il a même travaillé sur mon émission à TQS. Maintenant, il est à RDS. Abie et Nissim sont les deux frères que je n'ai jamais eus. Les gars de la famille.

Nous vivions comme des gens de la classe moyenne : ni pauvres ni riches. Je n'ai pas connu la vie d'opulence qui fut celle de mes parents à Tanger, où mon père possédait une agence immobilière. Au Maroc, ma famille habitait une belle maison avec un jardin, et employait une domestique et un chauffeur. Mes sœurs Esther et Kelly fréquentaient les meilleures écoles de la ville, des établissements catholiques privés dirigés par des religieuses françaises. Pourtant, mon père n'était pas riche de naissance ; il avait vécu dans un orphelinat jusqu'à l'âge de six ans. D'ailleurs, il aimait partager sa bonne fortune et aider les moins bien nantis, ce qu'il ne pouvait plus faire à la même échelle une fois ici.

La vie à Tanger était douce pour ma famille, mais toute bonne chose a une fin. Un jour, m'a raconté papa, ma sœur Esther est rentrée à la maison en pleurant et a dit à mes parents qu'une religieuse lui avait encore tiré les cheveux, sans raison apparente. Après l'indépendance du Maroc en 1956, les choses sont devenues difficiles pour les Juifs, qui partageaient pourtant le pays avec les Arabes depuis des siècles. Mon père a décidé que le temps était venu de quitter le Maroc. Avant l'abolition du protectorat français (1956), un demi-million de Juifs vivaient au Maroc ; aujourd'hui, il n'en reste plus que quelques milliers. Cela dit, le Maroc demeure à ce jour l'un des pays musulmans les plus ouverts à la présence juive, le roi ayant toujours joué un rôle en ce sens. Ma mère adorait le roi Mohammed V, le père du roi Hassan II, mort en 1999.

Beaucoup de Juifs marocains, dont ma grand-mère maternelle, ont plutôt choisi d'aller vivre en Israël, l'État juif créé en 1948 par les Nations unies. Cependant, une fois là-bas, elle a conseillé à mes parents de prendre la direction du Canada : « Israël, c'est trop dur. Il n'y a rien ici. Si vous obtenez les papiers pour le Canada, allez-y. » Elle avait oublié le climat québécois. Mon pauvre père n'a jamais apprivoisé l'hiver.

On aurait pu faire un film avec la grande histoire d'amour de mes grands-parents maternels, une histoire comme on en voit trop peu. Avant de connaître mon grand-père, ma grand-mère avait rêvé de lui. Un an plus tard, elle a rencontré l'homme qu'elle avait vu en rêve. Ils se sont mariés au Maroc. Lors d'un voyage en France, une tempête terrible s'est élevée sur la Méditerranée. Pour être certains de mourir ensemble si le bateau venait à sombrer, ils se sont attachés l'un à l'autre.

J'ai passé beaucoup de temps chez ma grand-mère, en Israël. Dès que mon talkshow se terminait pour l'été, je partais chez elle; je voulais la connaître en tant que femme. Elle m'apprenait des choses incroyables, des histoires que même ma mère ignorait. Elle m'a même raconté comment mon grand-père et elle réussissaient à partager des moments intimes dans leur maison de deux pièces sans que les enfants s'en rendent compte. Malheureusement, mon grand-père est mort dans la cinquantaine. Ma grand-mère ne s'est jamais remariée.

Une grande partie de ma famille, du côté maternel comme du côté paternel, vit maintenant en Israël. Ils ont travaillé très dur et étudié très fort. Mon oncle, qui a construit de ses mains la maison où vivaient mes grands-parents, est mort récemment. Il s'appelait Amram Louk, Louk étant le nom de fille de ma mère, qui se prénomme Perla. Mon oncle Amram était très connu en Israël, et il comptait des présidents et des premiers ministres parmi ses amis. Il a été maire de la ville de Beït Shemesh, en banlieue de Jérusalem, pendant vingt ans, pour le parti travailliste, le parti de la gauche israélienne. Son rêve de jeunesse, pourtant, était de devenir comédien. Il avait un talent fou.

Les autres membres de ma famille sont dispersés un peu partout sur le globe, à Paris, New York, Toronto et Gibraltar. Il ne reste plus personne au Maroc, et je n'y suis jamais allée. J'aurais tant aimé découvrir le Maroc et l'Espagne avec mon père ! Mais il est décédé quand je n'avais que dix-sept ans. Il en avait cinquante-six.

J'adorais mon père, un modèle de classe, d'humour et de raffinement. Il ressemblait à l'acteur américain David Niven. Il s'appelait Albert Benezra. Ça sonne bien, non ? Il n'a malheureusement pas vu la réussite de sa benjamine, ni le mariage de mes sœurs. Il n'a pas récolté ce qu'il avait semé en venant au Canada.

La vérité, c'est que papa n'a pas trouvé au Canada le bonheur qu'il escomptait, même si je ne l'ai jamais entendu se plaindre de quoi que ce soit. Il n'a pas pu travailler dans l'immobilier, son domaine d'expertise. Il a dû se contenter de boulots mal payés et ennuyants dans des usines de textiles. Du travail qui use, bien en deçà de ses compétences et de son intelligence. Dans les années 1960, il était quasi impossible de se trouver un bon emploi à Montréal sans connaître l'anglais. Mon père parlait un français très élégant, en plus de sa langue maternelle, l'espagnol, et il comprenait l'arabe. Mais il ne parlait pas l'anglais.

Pourtant, l'anglais est devenu ma deuxième langue, après l'espagnol ! À l'époque, les écoles francophones québécoises n'acceptaient que des élèves de religion catholique. C'était la loi. Même si je parlais bien le français, comme tout le monde à la maison, ma mère n'a pas eu le choix : elle a dû m'envoyer à l'école protestante anglaise, qui ne pratiquait aucune discrimination basée sur la religion. Elle n'en revenait tout simplement pas. Peu de gens le savent, mais c'est ce qui explique que tant de Juifs, même ceux qui viennent d'Afrique du Nord, parlent plus l'anglais que le français.

Aujourd'hui, je comprends que la vie ici a brisé mon père. Petite, je ne voyais rien de tout cela. Comme toutes les filles de mon âge, je pensais aux beaux vêtements, à mes amis, à faire la fête. Mes parents et moi tenions rarement des conversations sérieuses. Ils partaient à l'usine en autobus à 6 heures du matin et rentraient vers 19 heures. Ma mère faisait le souper, et nous, nos devoirs. Nous bavardions, nous écoutions un peu la télé, et hop! au lit pour mieux recommencer le lendemain.

Jamais mon père n'a montré sa déception. Il adorait rire et savait raconter des blagues comme pas un. Tout le monde l'aimait, et il avait un vaste cercle d'amis. Dans les dernières semaines de sa vie, sa chambre d'hôpital ressemblait à la gare centrale tellement il recevait de visiteurs. Je ne sais pas s'il réalisait à quel point il était apprécié de tous. Récemment, j'ai rencontré par hasard une dame qui partageait sa chambre à l'hôpital, juste avant sa mort, il y a trente-cinq ans de cela, et elle m'a parlé de lui avec beaucoup d'affection.

Mon père adorait la télévision québécoise. Nous regardions *Cré Basile, Symphorien, Appelez-moi Lise, Moi et l'autre* ensemble. Il adulait Dominique Michel. Et cet homme qui n'avait jamais enfilé une paire de patins de sa vie se passionnait pour le sport national de sa terre d'adoption : le samedi soir, il s'installait devant la télé pour regarder *La Soirée du hockey* avec oncle Max. Nous ne possédions qu'une seule télé à la maison et nous savions toutes qu'il était hors de question de syntoniser autre chose que le hockey à Radio-Canada. Si seulement mon père avait vécu assez longtemps pour me voir interviewer Maurice Richard et Jean Béliveau, ses idoles! Le soir où j'ai animé le gala d'inauguration du Centre Bell, j'ai choisi ma tenue en pensant à lui. Je l'imaginais assis aux premières loges, portant un superbe costume taillé sur mesure que je lui aurais offert pour l'occasion. Après le gala, je lui aurais présenté les légendes du hockey qu'il admirait tant : ils y étaient tous. Ce soir-là, on m'a remis un bâton de hockey que j'ai toujours d'ailleurs, autographié par tous les joueurs présents. J'étais très émue.

Mes parents n'ont jamais abandonné la pratique de leur religion, mais personne ne pourrait leur reprocher de ne pas s'être intégrés à la culture québécoise. Bien sûr, on n'oublie pas sa terre natale, sa culture d'origine ou sa religion. À quatre-vingt-cinq ans, ma mère mange toujours casher et respecte le shabbat, mais elle n'est pas moins québécoise pour autant.

Avant de mourir, alors qu'il se trouvait sous l'effet des médicaments contre la douleur, papa m'appelait souvent « Preciada », le nom de sa cousine avec qui il avait grandi au Maroc. Dans son délire de grand malade, il parlait du Maroc et de l'Espagne ; il avait oublié qu'il vivait au Canada. J'avais le cœur brisé juste de l'entendre. Je l'ai tant aimé.

Je me demande quel genre de femme je serais devenue si mon père avait vécu plus longtemps. Peut-être serais-je mariée aujourd'hui, et peut-être mon besoin de plaire occuperait-il moins de place dans ma vie ?

Au Maroc, ma mère, une fois mariée, avait cessé de travailler à l'extérieur de la maison. Ici, elle a repris son métier de couturière. Elle a fréquenté l'école du soir pour apprendre le dessin de mode. Comme mon père travaillait dans le textile, il rapportait à la maison des échantillons de tissu avec lesquels ma mère réalisait des vêtements fabuleux. Elle a dessiné, taillé et cousu les robes de mariage de mes sœurs et de certaines de nos amies. C'est d'elle que je tiens ma passion pour la mode. Sa beauté et son élégance innée m'ont toujours inspirée.

Jeune adolescente, je rêvais de posséder un manteau blanc. Quelle idée! Je ne sais trop comment, mais j'ai fini par la convaincre de m'en acheter un. Je l'accompagnais lorsqu'elle allait faire ses courses chez Warshaw, le légendaire supermarché du boulevard Saint-Laurent. Nous achetions toujours du poisson chez Waldman, juste à côté. La tradition juive veut que nous mangions une entrée de poisson pendant le repas du shabbat le vendredi soir. Je détestais transporter des sacs dans l'autobus, surtout avec du poisson dedans à cause de l'odeur. Aujourd'hui, c'est tellement branché de transporter ses provisions dans l'autobus, surtout avec du poisson dedans; ça fait santé et écolo. Bref, un jour, je suis allée chez Waldman avec ma mère, vêtue du fameux manteau blanc, mais, une fois arrivée, j'ai refusé d'entrer dans le magasin parce que je ne voulais pas qu'il s'imprègne de l'odeur du poisson. Je me souviens du regard affligé de maman. Je lui ai fait beaucoup de peine ce jour-là. Elle m'avait acheté ce beau manteau blanc Dieu seul sait au prix de quels sacrifices. J'ai eu honte de moi.

Mes sœurs, qui avaient connu la vie au Maroc, trouvaient difficile l'existence sur la rue Barclay. Surtout ma sœur Esther, l'aînée, qui se souvenait de la maison à Tanger, du chauffeur, de l'école privée. Moi, je n'avais jamais rien vu d'autre que Côte-des-Neiges, mais ce n'était pas son cas. Ma sœur Esther a reçu en cadeau de la vie une grande beauté et une grande intelligence. Docteure en psychologie et avocate, elle est bardée de diplômes. Comme moi, elle ne s'est jamais mariée et nous habitons le même quartier;

ensemble, nous nous occupons de maman. Je prépare son petit déjeuner tous les matins, et Esther fait ses courses.

Esther ira tout droit au ciel, en Concorde. Elle est devenue une deuxième mère pour nous toutes et le pilier de la famille après la mort de papa. Elle a organisé ses funérailles et, par la suite, elle s'est occupée de toutes les affaires de la famille. Encore aujourd'hui, pendant que je joue la tante cool avec nos nièces et nos neveux – que je les emmène au restaurant et au cinéma, que je leur achète des vêtements et que j'écoute leurs confidences –, Esther se retrouve avec les tâches ingrates, comme les aider à faire des devoirs oubliés à 3 heures du matin…

Ma sœur Kelly suit Esther. C'est le clown de la famille ; elle est vraiment très drôle et très artistique. C'est aussi la plus douce, la plus gentille de nous quatre. Elle aime rendre les gens heureux et dénouer les situations tendues. Quand je pense à elle, les larmes me montent aux yeux. Maman d'Alexandra et de Jesse, elle enseigne les arts, l'anglais et le français. Elle est mariée depuis trente-quatre ans à Sam, un bel homme bon, aux cheveux blonds et aux yeux verts.

Le mari de ma sœur Myriam s'appelle Ron. Eux aussi sont mariés depuis trente-quatre ans, et ils ont deux enfants, Shane et Chloé. Myriam et Ron forment un couple visuellement étonnant : elle mesure un mètre cinquante-sept, et lui frôle les deux mètres. Personne ne fait la cuisine comme lui, et il nettoie après coup ! L'homme parfait, quoi. Rebelle et protectrice, Myriam protège sa famille. Ne faites pas de mal à ses sœurs, elle vous arrachera les yeux… pour commencer. Quand mon père était à l'hôpital, c'est elle qui s'assurait qu'il recevait tous les soins dont il avait besoin et qui exigeait la présence du médecin quand il n'allait pas bien. Le personnel ne lui faisait pas peur. Elle est têtue face à l'injustice. Pourtant, elle a toujours été très timide. Enfants, nous chantions toutes les deux dans une chorale à l'école, avec ma cousine Judith. Je ne ratais pas une occasion de montrer ce dont j'étais capable. Nous connaissions toutes les chansons du temps des fêtes. Pendant les fêtes juives, nous rendions tante Viviane folle avec nos cantiques de Noël, en particulier *Sainte nuit,* que j'adorais. Judith et moi en parlons encore… et cela nous fait toujours rire autant.

Et moi, dans cette tribu ? J'aimais rendre tout le monde heureux, amener la joie au sein de la famille, divertir les gens. Ma famille a été mon premier public ; le salon, mon premier théâtre.

J'ai appris le piano pendant quatre ans, j'ai même passé les examens du Conservatoire. Je m'en suis toujours sentie un peu coupable, car ma sœur Myriam, qui a un réel don, n'a pas eu cette chance ; nous n'avions pas d'argent au moment où il l'aurait fallu pour elle. J'ai un piano à la maison, mais je n'en joue jamais. J'ai toujours rêvé de m'offrir un petit piano à queue pour pouvoir organiser des soupers d'amis qui se finissent en chansons, autour du piano, digestif à la main.

Je me souviens d'un concert de fin d'année… Je devais avoir onze ou douze ans, et j'animais l'événement (tiens, tiens). Mes parents devaient y assister, mais en montant sur scène, nerveuse, j'ai regardé dans la salle et ils n'étaient pas là. J'ai joué ma pièce et, quand je me suis levée pour faire la révérence, j'ai vu papa et maman arriver en trombe, conscients de leur retard. Ils avaient raté de peu ma performance. J'étais triste et fâchée. J'avais une boule dans la gorge ; je ne sais pas comment j'ai fait pour ne pas pleurer. Une fois tout le monde parti, mes parents m'ont demandé de rejouer ma pièce. Pour ne pas les peiner, je l'ai fait, mais ce n'était pas pareil, et j'avais toujours une boule dans la gorge… Il y a des moments dans la vie qu'on aimerait effacer pour en réenregistrer une meilleure version. Les pauvres, ils étaient en retard à cause de leur travail.

Quelle chance d'avoir grandi sous le regard de mes sœurs et d'avoir toujours bénéficié de leur soutien ! Quand je martelais à cinq ans que je voulais devenir actrice et faire carrière à la télévision, elles ne se sont jamais moquées de moi. Je ne les ai jamais entendues me dire : « Es-tu folle ? Ce n'est pas pour toi. » Déjà, à cet âge, je savais que le show-business serait toute ma vie. Je raffolais de la télé. Enfant, je regardais *Bobino, Chez Hélène, La Ribouldingue.* Plus tard, ce fut le *Ed Sullivan Show,* le *Carol Burnett Show* et bien sûr, *Jeunesse d'aujourd'hui.* J'avais un gros *kick* sur Robert Demontigny.

Plus que tout, j'aimais la soirée des Oscars, une tradition sacrée chez nous. Pendant la télédiffusion, mon père me demandait toujours de livrer un discours de remerciements, un objet à la main en guise de trophée : « Si tu gagnais, que dirais-tu ? » C'était le moment suprême des *Academy Awards* pour moi : la remise de l'Oscar de la meilleure performance d'une petite fille qui veut devenir actrice.

Une fois à l'université, je me suis inscrite en droit à McGill et en théâtre à Concordia. Mes résultats scolaires m'ont permis d'être acceptée dans les deux programmes. Devinez lequel j'ai choisi.

Enfant, je passais énormément de temps à la bibliothèque du quartier. J'aimais beaucoup lire. Je lis moins aujourd'hui, peut-être parce que je l'ai tellement fait pour mon travail. J'achète encore des tas de livres, mais je ne les lis pas toujours.

Vers sept ou huit ans, j'ai participé à un concours d'écriture organisé par le défunt quotidien anglophone *The Montreal Star*. Il fallait rédiger un résumé de livre. Mon amie Lynda avait peiné pendant des jours sur le sien, alors que je n'avais mis que quelques heures sur mon texte. Quand j'ai gagné le concours, je me sentais mal vis-à-vis d'elle, un peu coupable même... Je ne l'avais pas dit à ma mère. Quelle ne fut pas sa surprise de recevoir non seulement un appel du *Montreal Star*, mais aussi de ses amies qui avaient vu ma photo dans le journal.

Mes parents travaillaient beaucoup. Nous nous sommes élevées presque toutes seules. J'étais très autonome et très déterminée. À intervalles réguliers, ma mère recevait une note de la bibliothèque lui réclamant 5 dollars pour payer un des innombrables cours – cuisine, guitare ou autre – auxquels je m'inscrivais sans lui demander la permission. J'encourageais ma sœur Myriam, plus timide, à venir avec moi.

Un jour, vers l'âge de huit ans, j'ai voulu accompagner Myriam au centre commercial Côte-des-Neiges, où nous passions une bonne partie de nos temps libres. Elle était avec sa meilleure amie Mercedes et elle a refusé tout net : « Tu ne peux pas venir. » J'ai eu le cœur brisé. Plus tard dans la journée, je me suis rendue là-bas toute seule. J'ai commandé un morceau de tarte aux cerises, sa préférée (pour faire comme elle, même si je n'aimais pas la tarte aux cerises), et un Coke, que j'ai payés avec mon argent de poche. Comme une grande, j'ai même laissé un pourboire, mais la serveuse l'a refusé. Myriam a fini par savoir ce que j'avais fait : elle en est restée traumatisée. *Sorry*, Myriam, de raconter ce que tu voudrais tellement oublier !

Au même âge, j'ai dû être hospitalisée six semaines pour un problème à la vessie. C'était très grave, et mes parents étaient extrêmement inquiets, d'autant plus que, pendant un certain temps, un virus dans l'établissement m'a empêchée de recevoir des visites. Je leur parlais au téléphone et je leur envoyais la main de la fenêtre de l'hôpital. Moi aussi, je m'en faisais beaucoup pour eux.

Je me souviens encore de la chemise de nuit à fleurs orange, des pantoufles et des boucles d'oreilles que mon père m'avait achetées chez Miracle Mart pour égayer mes journées. Ma tante Viviane me préparait de la nourriture qu'elle réussissait à me livrer malgré la quarantaine. Mon repas préféré à l'hôpital ? Les hot-dogs. J'écrivais même sur la feuille du menu de ma plus belle main : « Monsieur le cuisinier, puis-je en avoir deux, svp ? »

J'aimais passer du temps avec les enfants aux soins intensifs, beaucoup plus malades que moi. Je me souviens d'un petit garçon qui avait été grièvement blessé dans un accident d'auto où sa mère avait perdu la vie. Il ne le savait pas encore, mais une infirmière me l'avait dit, je ne me souviens plus trop pourquoi. Porteuse d'un terrible secret qui allait changer son existence, je souffrais à sa place. J'étais très mûre pour mon âge.

Même si jeune, j'en faisais déjà trop. Je me souviens d'avoir voulu aider un enfant qui avait de la difficulté à fabriquer un bidule avec des bâtons de popsicle. J'avais réussi un panier à pain et une boîte à bijoux. J'ai donc volé à sa rescousse, mais une infirmière m'a crié : « Arrête d'aider tout le monde. Tu n'es pas leur mère. » J'ai senti le sang me monter à la tête ; j'aurais aimé disparaître sous le plancher. Là encore, j'ai éprouvé de la honte. Je ne voulais qu'aider un enfant malade de mon âge et je ne voyais pas ce qu'il y avait de mal à agir ainsi.

Ce séjour à l'hôpital m'a marquée pour toutes sortes de raisons. Les médecins ne comprenaient pas ma maladie. Je les entendais discuter de mon cas, médusés. Un jour, ils ont annoncé à mes parents qu'ils allaient devoir m'opérer. On m'a préparée pour l'intervention chirurgicale et conduite au bloc opératoire. Moins d'une heure plus tard, j'étais de retour dans ma chambre. Avant de commencer l'opération, les médecins avaient pris des radiographies, qui indiquaient que le problème avait disparu tout seul. Ils n'ont jamais su pourquoi ni comment.

Quand je suis sortie de l'hôpital, ma mère m'a emmenée me reposer en Israël. Nous avons passé deux semaines au bord de la mer Morte. Chaque jour, elle me forçait à me baigner dans l'eau salée ; ces bains me faisaient très mal, mais je pense qu'ils ont achevé ma guérison. Il y a des gens qui croient aux miracles. Moi aussi, mais...

J'ai peu de souvenirs de l'école. Les élèves heureux n'ont pas d'histoire, c'est bien connu. Au primaire, j'ai fréquenté l'école de mon quartier, Bedford School, sur la rue Goyer. Au secondaire, je suis allée au Northmount High School, une école aujourd'hui fermée, également à Côte-des-Neiges.

J'aimais apprendre. J'étais appliquée et studieuse. J'avais des tas d'amis de toutes les origines, une vie sociale riche en émotions et en activités, et je continuais d'être fascinée par le show-business. J'aimais beaucoup le *Mary Tyler Moore Show*. Mon amie Jenny et moi avons écrit au comédien Ed Asner, un pilier de la télévision et du cinéma américains, lui expliquant que nous voulions devenir actrices. Il nous a répondu par une longue lettre écrite à la main ! Imaginez son effet sur deux élèves d'une école publique dans un secteur pauvre de Montréal !

Avant de devenir la « reine de TQS », j'avais l'impression de régner sur mon univers d'enfant, mais n'allez pas croire que tout me venait facilement. Laissez-moi vous parler de l'aventure de Blanche-Neige.

Quand j'étais en troisième année, l'école a annoncé la production d'une comédie musicale sur Blanche-Neige, qui serait jouée devant les parents à la fin de l'année scolaire. Je me suis présentée aux auditions très bien préparée, très sûre de moi. Trop peut-être. J'y avais mis tout mon cœur. Je me disais qu'avec mes longs cheveux noirs l'affaire était dans le sac pour le rôle principal. Deux jours plus tard, j'apprenais que c'était Nava qui allait jouer Blanche-Neige ! Nava, avec ses cheveux courts comme ceux d'un garçon, qui m'avait semblé mal à l'aise pendant l'audition !

J'ai pensé mourir quand on m'a annoncé que j'avais obtenu le rôle du nain Doc. J'ai couru trouver ma sœur Myriam, une grande de septième année, pour lui raconter ma terrible déception. Elle m'a prise dans ses bras et m'a dit de ne pas m'en faire, que tout irait bien. Tout irait bien ? Je ne voulais pas jouer Doc. Est-ce que j'ai une tête de nain ? Qu'importe, j'ai répété mon texte tous les jours avec ma sœur Myriam. À force d'assister aux répétitions, j'ai fini par connaître aussi tous les autres rôles, dont celui de Blanche-Neige. C'est à ce moment que j'ai réalisé que je possédais une mémoire exceptionnelle.

Le jour de la première, le directeur s'est pointé dans ma classe. Ma maîtresse, Mme Lerner, m'a fait venir en avant. Je me demandais ce que j'avais bien pu faire de mal. Je tremblais de peur. Je craignais de faire pipi dans mes culottes. «Connaissez-vous le rôle de Blanche-Neige? m'a dit le directeur.

— Pourquoi? Je ne sais pas, peut-être bien que oui.

— Nous allons vous garder à l'école ce midi pour déterminer ce que vous savez. »

La peur qu'ils ont pu lire sur mon visage ne reflétait pas mon stress à l'idée de tenir le rôle principal, mais tout à fait autre chose : «Ne me commandez rien à manger qui contient de la viande. Je suis juive et je mange casher ! » À cet âge, je croyais dur comme fer que j'allais mourir sur-le-champ si je mordais dans un sandwich jambon-fromage, un gros interdit pour les gens qui respectent les règles alimentaires de ma religion. Finalement, j'ai mangé un sandwich aux œufs et j'ai profité de l'occasion pour démontrer que je connaissais le rôle de Blanche-Neige de A à Z.

Cet après-midi-là, nous avons joué la pièce devant les élèves de l'école. Ma sœur Myriam avait dit à ses amis de me surveiller dans le rôle du nain Doc. Quelle ne fut pas la surprise de tout le monde quand ils m'ont vue entrer en scène habillée en Blanche-Neige et chantant ces inoubliables paroles : «Je souhaite de ne pas avoir peur. Je désire que quelqu'un s'occupe de moi. Je prie ma bonne étoile pour me réveiller demain et que tout aille bien. »

Le soir, nous avons joué pour les parents et pour la direction. Après le spectacle, le directeur, le gigantesque M. Garretti, m'a assise sur son épaule, en disant : «Un jour, cette enfant va devenir une star. » Ce fut un moment de grand bonheur pour moi, mais je ne pouvais pas m'empêcher de penser à Nava qui devait jouer le rôle. Le lendemain, je lui ai téléphoné pour savoir comment elle se sentait. Elle m'a dit que sa laryngite allait beaucoup mieux.

J'avais fini par obtenir ce que je désirais plus que tout, mais de manière inattendue. Ce ne serait pas la dernière fois dans ma vie.

Chapitre 2

Passage au monde adulte

Pas de crise d'adolescence pour moi, je n'ai jamais eu l'âme d'une rebelle ; je laisse cela à ma sœur Myriam, celle qui défend tout le monde. Des crises du cœur, par contre, alors là, oui, j'en ai vécu. Des peines d'amour, des peines d'amitié et l'immense chagrin de perdre mon père à dix-sept ans ont marqué mon adolescence. Je me suis amusée, certes, mais j'ai vécu plus d'événements tragiques qu'on le devrait à cette époque de la vie.

À l'école secondaire Northmount High, une école multiethnique bien avant que cela ne devienne la norme à Montréal, au moins les deux tiers des élèves étaient des Noirs, tout comme la directrice, Mlle Lord, une dure à cuire qui ne s'en laissait imposer par personne. Je l'aimais beaucoup. Les gars se promenaient dans les corridors avec leurs *ghetto blasters*, de gigantesques radios-lecteurs de cassette qu'ils portaient sur une épaule en se dandinant au son de la musique R&B de Marvin Gaye et de Barry White.

Nous avions la meilleure équipe de basketball à Montréal ; j'ai même joué pour l'équipe féminine.

J'adorais mon école, éminemment *cool*. J'avais des amis de toutes les origines et je trouvais cet environnement tout à fait normal. Je ne savais pas encore que j'étais une « ethnique ».

Le secondaire s'est bien passé pour moi ; j'ai oublié les mauvais moments, sauf notre déménagement à Laval. Avant de mourir, mon père avait réussi à acheter une petite maison à Chomedey. Il désirait posséder quelque chose ici et, même s'il y a très peu vécu, cette propriété a assuré la sécurité financière de maman.

Je ne voulais pas aller habiter à Laval : je n'aimais pas la maison, qui n'avait pas d'âme, et je refusais de quitter mon école bigarrée. Tante Viviane, la *wonder-woman* de notre famille, m'a donc accueillie chez elle, le temps que je termine ma dernière année du secondaire là où je l'avais commencée. Je réussissais très bien, sauf en mathématiques. J'étais terrifiée par le professeur de maths, Mme Solomon, une femme très comme il faut, qui portait des petits tailleurs de style Chanel, et des perles aux oreilles et au cou. Je ne sais trop comment j'ai fait pour réussir mes maths ; j'hésite entre le miracle et la terreur que m'inspirait Mme Solomon.

Je me souviens aussi de mon professeur de théâtre, Bob Rosell, un type extraordinaire qui m'a beaucoup influencée et qui m'a aidée à réaliser mon rêve de devenir actrice. Grâce à lui, j'ai joué l'un des plus grands rôles du répertoire anglophone, celui de l'institutrice Jean Brodie dans *The Prime of Miss Jean Brodie* (*Les Belles Années de miss Brodie*) de l'auteure britannique Muriel Spark, une pièce que nous avons montée en secondaire V. Ce rôle a été rendu célèbre au cinéma par l'actrice anglaise Maggie Smith, à qui il a valu l'Oscar de la meilleure actrice en 1969. Chaque fois que je vois Maggie Smith à l'écran, je pense au grand rôle que nous avons en commun.

J'ai une confession à faire au sujet de la présentation de cette pièce. Nous avions mis énormément d'efforts toute l'année pour la préparer, et je tenais beaucoup à ce que mon père y assiste, mais il travaillait le soir et n'avait pas pu convaincre son patron de lui accorder un congé. J'ai été très dure avec mon papa. Il aurait aimé que je joue une scène ou deux pour lui à la maison et j'ai refusé. Je ne lui avais jamais parlé ainsi. Je ne savais pas qu'il allait bientôt mourir… Je m'en veux encore.

Un jour, dans ses derniers moments à l'hôpital, mon père m'a demandé si je voulais toujours devenir actrice. Je lui ai répondu que c'était mon seul souhait. « Eh bien, ma fille, fais-le. Surtout, ne laisse jamais un homme te dire que tu ne peux pas le faire. » Paroles prophétiques, comme vous le verrez. Quelle tristesse qu'il n'ait pas vécu assez longtemps pour voir mon succès !

Quand je suis allée à la réunion des anciens de l'école Northmount, les gens me parlaient encore de ma prestation dans *The Prime of Miss Jean Brodie*, vingt-cinq ans plus tard. Mes ex-copains de classe m'ont dit qu'ils étaient convaincus que j'allais devenir une actrice célèbre. Ils ont été surpris que je devienne animatrice et intervieweuse. Je suis une comédienne talentueuse, je le sais, mais la vie m'a indiqué une autre direction. Je n'ai aucun regret. Et puis, elle n'est pas encore terminée, ma vie !

Quand je suis entrée au secondaire, je parlais très peu le français. Comme je l'ai déjà expliqué, en raison de ma religion, je n'ai pas eu le droit de fréquenter une école francophone comme ma mère l'aurait pourtant souhaité. Avec mes amis, je conversais surtout en anglais. Je parlais espagnol avec mes parents et anglais avec mes sœurs. Les choses auraient été tellement plus simples si nous avions toutes pu étudier en français, car mes parents ne parlaient pas anglais. Ils ne pouvaient donc pas nous aider à faire nos devoirs, sauf nos devoirs de français.

Les habitués de mon talkshow à TQS se rappelleront que l'émission du lundi comportait une leçon de français pour moi, avec la complicité d'un invité. C'est dans un de ces cours que j'ai appris le mot « roteux ». On s'est moqué de mon français et de mon accent, mais je ris de bon cœur quand quelqu'un se paie ma tête à cause de cela.

Je me souviens vaguement d'avoir parlé français avec nos voisins canadiens-français, comme on disait quand j'étais enfant. Une fois au secondaire, je me suis fait des amies marocaines qui parlaient français à la maison ; c'est grâce à elles que j'ai amélioré mon français. Quelle joyeuse bande nous formions ! Nous organisions des événements pour des œuvres de bienfaisance et des fêtes du Nouvel An monstres dans des hôtels du centre-ville. Quand j'avais dix-sept ans, nous sommes même allées passer six semaines en Israël, un voyage que nous avions payé de notre poche. Rien ne nous arrêtait.

Nous étions passionnées par les vêtements et la mode ; beaucoup de Juifs marocains font carrière dans ce domaine, d'ailleurs. Dès l'âge de quatorze ans, le week-end et l'été, je travaillais dans des boutiques à la mode : Mia, Chérie, A. Gold & Sons et le célèbre Sport Chalet sur le chemin de la Reine-Marie, près de Décarie. Un jour, pendant mes années à TQS, une femme s'est précipitée sur moi en pleine rue, en criant : « C'est vous ! C'est vous ! Je me souviens de vous, vous étiez vendeuse chez Sport Chalet ! Qu'est-ce que vous faites maintenant ? » Elle igno-rait totalement que j'étais à la télévision tous les soirs. J'ai bien rigolé. Un bel exemple des deux solitudes.

Après le secondaire, j'ai étudié en sciences sociales au Cégep Vanier à Ville Saint-Laurent. Je suis allée vivre avec ma mère et mes sœurs à Laval, dans la demeure familiale, que je n'ai quittée qu'à vingt-six ans. J'étais VJ à Musique-Plus et j'habitais encore chez maman !

Je ne me souviens pas très bien de mes années de cégep, sauf pour ce qui est des cours d'informatique que je détestais, et des heures passées au café étudiant à boire du mauvais café et à manger des beignes. Nous nous sentions tellement adultes… Cependant, cette période de ma vie a été complètement obscurcie par le long séjour – six mois – que mon père a fait à l'hôpital avant de mourir. Je passais tous mes temps libres avec lui ; je ne voulais être nulle part ailleurs. Je lui apportais des pistaches et les noix d'acajou qu'il adorait. Rien n'avait plus d'importance pour moi que d'être à ses côtés. À l'hôpital, j'ai compris à quel point mon père était un homme exceptionnel.

Papa n'est pas mort de la tumeur au cerveau dont il souffrait, mais d'une hémorragie cérébrale. Les médecins lui ont ouvert le crâne quatre ou cinq fois pendant son hospitalisation, et je demeure persuadée qu'ils ont abîmé quelque chose dans son cerveau au cours d'une de ces multiples interventions. Il devait quitter l'hôpital pour la pâque juive. Ma mère avait préparé la maison, fait la cuisine. Nous étions tellement heureuses de l'avoir avec nous pour célébrer cette fête très importante ! Avant d'avoir son congé, il devait subir une dernière séance de radiothérapie. J'étais là quand on l'a ramené à sa chambre. Il m'a chuchoté qu'il ne se sentait pas très bien, et je suis allée chercher l'infirmière, Mme Lenoir, une femme dure que je n'aimais pas. Elle a grogné : « Que voulez-vous encore ? » Chaque fois que je lui demandais quelque chose, elle bougonnait. De mauvaise humeur, elle a accepté de venir vérifier l'état de mon père. Elle lui a dit : « Quelle est la couleur de mon uniforme, monsieur Benezra ?

— Bleu, madame Lenoir. »

Elle s'est tournée vers moi, hautaine : « Vous voyez bien qu'il n'a rien. On va le mettre dans un fauteuil roulant et on va le promener un p'tit peu. Ça va le fatiguer, il va dormir. Ça va lui faire du bien. »

Qu'est-ce que j'en savais, moi ? Alors, on l'a assis dans un fauteuil roulant, et je l'ai poussé un peu dans le corridor, mais j'ai vu qu'il était en train de glisser du fauteuil. J'ai paniqué et je l'ai rapidement ramené à sa chambre. Où ai-je trouvé la force physique pour prendre mon père dans mes bras et le mettre dans son lit ? Je ne sais pas. Quand j'ai voulu aller chercher à nouveau l'infirmière, il m'a retenue et, en prenant mon visage dans ses mains, il m'a murmuré : « Je n'ai pas peur ; tu ne dois pas avoir peur. » C'est la dernière chose qu'il a dite. Et c'est à moi qu'il l'a dite.

L'infirmière est enfin venue, et je me suis précipitée vers le téléphone public de l'étage pour dire à ma mère et à mes sœurs de venir sur-le-champ. Elles sont arrivées aussi rapidement que possible. Aphone mais conscient, mon père a au moins pu voir sa femme et toutes ses filles avant de sombrer dans un coma dont il ne s'est jamais réveillé. Il est mort cinq jours plus tard. Nous étions avec lui quand il nous a quittées. Depuis, j'appréhende chaque année l'approche de la pâque juive.

Mon père parti, nous devenions cinq femmes « seules ». À partir de ce moment, ma mère n'a plus vécu que pour nous. Elle a appris à lire l'hébreu en secret pour réciter les prières du shabbat, un rituel qui revenait jadis à mon père. Elle n'a pas refait sa vie, comme on dit ; ses quatre filles et ses quatre petits-enfants et neveux lui suffisent. Un jour, elle m'a dit : « Me remarier, moi ? Quand deux de mes filles ne sont pas encore mariées ? » Mais c'est une excuse ; elle ne l'aurait pas fait même si nous étions toutes mariées.

Je constate que je n'ai pas beaucoup parlé de celle qui est au cœur de ma vie et de mon quotidien et que j'aime plus que tout. Je la vois vieillir avec tristesse… Elle ne pourra pas lire ce livre, sa vue a trop baissé, mais elle continue de préparer le repas du shabbat et de nous recevoir tous les vendredis soir, même si elle ne peut plus lire les recettes.

Je ne sais pas si ma mère réalise à quel point elle est une femme formidable. Elle nous a enseigné à nous tenir debout, à ne pas attendre un homme pour vivre pleinement, pour profiter de la vie. J'ai eu si peur de la perdre il y a une vingtaine d'années, quand on lui a diagnostiqué un cancer du sein lors d'un examen de routine ! Un seul mot peut décrire cette période de ma vie : surréaliste. Par un heureux hasard, sa sœur aînée, Lisy, qui vivait en Israël, passait ses vacances chez nous quand ma sœur Esther a reçu un appel du médecin confirmant le diagnostic de maman. Nous nous sommes toutes mobilisées.

Je me souviens que tout le monde pleurait dans l'auto en direction de Chomedey. Nous allions lui annoncer la nouvelle. C'est moi qui ai prononcé les paroles fatidiques, entourée de mes sœurs. Nous avons insisté sur les bons côtés de la chose, si je puis m'exprimer ainsi : cancer de faible intensité pris à temps égale pronostic optimiste. Maman n'a jamais paniqué. Elle n'a pas fait un drame de sa maladie. Sa foi lui dictait que tout irait bien. Elle s'est abandonnée à nous et a fait tout ce qu'on attendait d'elle sans jamais se plaindre. Son travail à elle, c'était de guérir. Nous prenions le contrôle de tout le reste. Elle s'inquiétait plus pour nous que pour elle.

Autant nous nous sommes senties impuissantes pendant la maladie de notre père, autant nous avons pris les choses en main pour maman. Après une intervention chirurgicale pour enlever la tumeur – pas le sein –, elle s'est installée chez Myriam. Tous les jours, je l'amenais à l'hôpital pour sa séance de radiothérapie. Elle n'a jamais eu l'air malade ; avant de quitter la maison, elle arrangeait ses cheveux et se mettait du rouge à lèvres, comme si tout cela arrivait à quelqu'un d'autre.

Nous allions avec elle chez le médecin. C'est nous qui posions les questions, car nous sentions que maman craignait les réponses. On nous appelait « The Supremes » ! Après sa dernière séance d'irradiation, je l'ai emmenée en croisière dans les Antilles : Saint-Martin et les Bahamas. Tous les soirs, je lui massais les jambes. Cet unique voyage que nous avons fait toutes les deux a été inoubliable.

Après ce détour important dans le futur, revenons à mon adolescence, à mon éveil à l'amour. Mon premier *crush* s'appelait Terry. Nous devions avoir douze ans. Lui aussi avait un *kick* sur moi. Je suis allée à ma première danse avec lui, nous y avons dansé notre premier *slow*. (Ah, ces mots d'une autre époque !) Je m'en souviens comme si c'était hier. Et puis un jour, sa famille a déménagé à Ville Mont-Royal. Pour moi, c'était comme s'ils étaient partis vivre à Istanbul. Je l'ai revu dernièrement ; il est médecin spécialiste à l'Hôpital des Shriners pour enfants.

Mon premier véritable amour s'appelait Maxime. Comme il était beau ! Il l'est toujours, d'ailleurs : il ressemble à Pierce Brosnan. Il a vieilli comme un grand vin. J'étais folle de lui, il était fou de moi. J'avais quinze ans quand nous nous sommes rencontrés. Nous nous sommes fréquentés pendant trois ans et demi.

Je me demandais bien ce qu'il me trouvait, lui si beau. L'adolescence n'est pas toujours tendre avec notre apparence, mais j'avais une confiance en moi béton ; j'étais bien dans ma peau. Maxime aurait pu sortir avec n'importe quelle fille, mais c'est moi qu'il avait choisie. Et je savais que je plaisais également à son frère Martin.

J'étais tout aussi éprise de sa famille, des gens raffinés, gentils. Son père, un Belge, avait survécu à l'Holocauste. Sa mère était marocaine. Maxime avait hérité des yeux pâles de son père. J'étais persuadée que nous allions passer notre vie ensemble. Il me soutenait dans tous mes projets. Nous avions les mêmes goûts. Il s'est tenu à mes côtés quand je préparais mon rôle dans *The Prime of Miss Jean Brodie* et, quand mon père est mort, il a porté son cercueil.

Cependant, les choses ont pris un tournant que je n'aurais jamais anticipé. J'avais organisé une surprise-party chez des amis pour le dix-septième anniversaire de mon amoureux. Le matin même, j'ai été au dépanneur chercher ce qui manquait – croustilles, boissons gazeuses, etc. – et, au moment de payer, la caissière, que je connaissais bien, m'a demandé :

« Fais-tu un *party* ?

— Oui, pour l'anniversaire de mon petit ami, Maxime.

— Maxime ? Voyons ! Il sort avec ma meilleure amie. »

Mon sang n'a fait qu'un tour, mais je suis restée digne et, mue par je ne sais trop quelle force de l'univers, j'ai improvisé : « Oui, oui, je sais, mais nous avons repris. » J'ignore où je suis allée chercher ça. C'était faux, bien entendu ; je ne savais rien et nous n'avions jamais rompu.

Dire que j'ai été foudroyée par la nouvelle serait faible. La mort dans l'âme, je suis sortie du dépanneur avec mes sacs sans rien ajouter. Il faisait très chaud. Je suis rentrée à la maison en marchant au beau milieu de la rue. Je respirais avec difficulté et je n'avais qu'un désir : arriver chez moi. Une fois là, je me suis précipitée sur le téléphone. Maxime travaillait dans une boutique sur la rue Saint-Hubert ; j'ai composé le numéro. Il semblait ravi d'entendre ma voix… jusqu'à ce que je lâche la bombe : « Il paraît que tu sors avec Linda ? »

Sous le choc, il n'a pas pu nier. Je savais que c'était vrai. J'avais tout compris. Linda habitait à quelques rues de chez moi. Quand Maxime prenait le bus avec moi pour rentrer, il descendait plus loin, à son arrêt. Aussi simple que ça.

Plus tard, je lui ai pardonné cette trahison, mais sur le coup, c'était la fin du monde. Je ne voulais plus assister à sa fête d'anniversaire. Je suis allée porter la bouffe, j'ai annoncé à tout le monde que je ne resterais pas. Quand il est arrivé, il a pleuré. Il s'est mis à genoux et m'a suppliée de rester. C'était horrible. Nous sommes allés discuter derrière la maison et il m'a demandé de ne pas le quitter. Et je n'ai pas rompu. Pas tout de suite. Je suis restée avec lui un an de plus, mais tout avait changé. Je n'avais plus confiance en lui.

Peu de temps après notre rupture, je suis tombée amoureuse d'un garçon que nous appellerons Mike. Tout le contraire de Maxime. Nous avons été ensemble pendant cinq ans.

J'avais connu Mike à l'école secondaire. Tout un pétard ! Il était plus vieux que moi, et sortait avec toutes les belles filles du coin, mais il n'avait jamais vécu une histoire sérieuse. Quand nous avons commencé à nous fréquenter, il avait déjà quitté l'école. Au début, j'étais séduite : son âge et ses manières de gentleman me grisaient. J'ai quand même rapidement constaté qu'il aimait tout contrôler, comme son père. J'adorais sa mère, une femme charmante, vive, qui travaillait très fort. Ses parents étaient propriétaires d'une boutique de vêtements sur l'avenue du Mont-Royal.

Mike était très gentil avec ma mère, déjà veuve à ce moment. Il possédait sa propre auto et faisait des courses pour elle, il réparait les carreaux cassés, il faisait le ménage et la cuisine. Mais il était néanmoins très macho et, surtout, maladivement jaloux. Au début, je trouvais très excitant d'être aimée par quelqu'un de jaloux. On se dit qu'il agit ainsi parce qu'il est follement amoureux, on se sent importante. Et puis un jour, on commence à étouffer.

J'ai tellement souffert avec lui que j'ai demandé à Dieu de venir me chercher. J'ai détesté mes années d'université principalement à cause de lui. Il avait mon horaire, et je devais lui téléphoner après chaque cours. Si un prof me parlait cinq minutes de plus, mon estomac se nouait de peur. Je savais qu'il allait me reprocher d'avoir mis trop de temps à « me rapporter ». Quand je rencontrais un ami dans la rue, il me posait des tas de questions. Chaque fois que le téléphone sonnait à la maison, je priais pour que ce ne soit pas lui au bout de la ligne. Ma famille ne savait rien de tout cela. Mes sœurs et ma mère étaient conscientes que nous avions des querelles, mais pas plus. Je ne voulais rien leur dire. J'avais trop honte, sans compter qu'elles aimaient beaucoup Mike.

J'étudiais en théâtre à Concordia, et nous devions répéter les soirs et les week-ends. J'étais entourée d'artistes, de gens bohèmes et relax qui ne s'en faisaient pas trop avec la vie. Mike détestait tout cela. Il voulait qu'on se marie. Il voyait en moi la bonne épouse traditionnelle, bien en chair, et n'aimait pas que je perde du poids.

Ma classe présentait une pièce au Chameleon Theatre de l'Université Concordia. L'une des représentations tombait le soir de la Mimouna, une fête familiale très populaire qui marque la fin de la Pâque chez les Juifs séfarades (c'est ainsi qu'on appelle les Juifs de la Méditerranée et du Moyen-Orient). Il avait insisté pour que j'aille chez ses parents ce soir-là. C'était impossible. J'avais tout fait pour lui expliquer que je devais jouer, qu'une partie de mes points en dépendait et que des gens avaient acheté des billets… Ça me semblait bien logique. Rien à faire !

Tout de suite après le spectacle, j'ai donc couru vers ma vieille Dodge Dart et j'ai conduit comme une folle jusque chez lui. Quand je suis arrivée, il est venu me retrouver dans l'auto et m'a accusée d'avoir manqué de respect à son père en refusant son invitation à la Mimouna. Il criait, je criais. J'ai fini par le jeter hors de l'auto à coups de pied. Je n'avais jamais fait une telle chose auparavant, et je ne l'ai jamais refaite depuis, d'ailleurs. Je n'arrivais pas à croire que j'étais capable de tels gestes. Il fallait que je sorte de cette situation, et vite. J'ai pleuré jusqu'à Chomedey, en me demandant comment j'allais m'extirper de cette relation toxique. À chaque querelle, à chaque rupture, il revenait me voir le lendemain, piteux et contrit.

Pourquoi suis-je restée cinq ans avec cet homme ? Tout d'abord, j'avais peur de lui. Aujourd'hui, je sais que j'ai subi des violences psychologiques de sa part, mais à l'époque je l'ignorais. Les gens ne parlaient pas de cela, et j'avais honte de confier mon désarroi. Personne ne savait ce qui se passait dans notre couple.

Puis, un jour, j'en ai eu assez. Je lui ai dit que c'était terminé entre nous. Je pensais ne plus le revoir. Erreur. Je tenais alors l'un des rôles principaux dans une comédie présentée au théâtre de l'ancien hôtel Le Méridien du Complexe Desjardins. C'était le soir de la dernière. Je me sentais libre, je regardais les garçons. Il y avait de la légèreté dans l'air. Je projetais d'aller prendre un verre avec la troupe après le spectacle.

Après l'entracte, les comédiens devaient faire leur entrée sur scène par la salle plutôt que par les coulisses. J'ai failli m'évanouir en voyant Mike à côté de l'entrée du théâtre. Quand je suis passée près de lui, il m'a prise par le bras. Il insistait pour me parler, indifférent au fait que le reste de la troupe m'attendait pour continuer la pièce. L'un des acteurs, Ron, est intervenu : « Lâche-la. Si tu n'as pas de respect pour ce qu'elle fait, c'est ton problème. Discutez-en après le spectacle. Pour l'instant, elle est occupée. » Mike a lâché prise, mais j'avais la mort dans l'âme. Comment allais-je pouvoir jouer le deuxième acte sachant qu'il m'attendrait à la sortie ?

À la fin de la pièce, ma sœur Esther et ma tante Viviane ont rejoint Mike dehors. Quand je suis sortie, il pleurait à chaudes larmes : un homme défait. J'avais le cœur brisé de le voir ainsi, mais je n'en pouvais plus. C'était bel et bien terminé. Je me sentais comme quelqu'un qu'on vient de libérer après un kidnapping. Je ne voulais pas retourner en cage. Il est revenu me voir, m'a téléphoné sans relâche, m'a suppliée de renouer avec lui. J'ai demandé l'aide de ma famille. Elles étaient toutes abasourdies d'apprendre tout ce que j'avais vécu à cause de Mike, sans ne jamais me confier à elles.

Je n'avais que vingt-trois ans. Je ne connaissais pas l'expression « relation abusive ». Beaucoup plus tard, quand sa mère est décédée, je suis allée chez lui pour la shiv'ah, le rituel juif de condoléances qui veut que, pendant les sept jours qui suivent un décès, la famille reçoive des visiteurs à la maison. Je travaillais alors à MusiquePlus et j'étais devenue une vedette de la télé. Je l'ai regardé et j'ai compris à quel point il s'en voulait. J'ai compris aussi qu'il m'avait aimée de la seule manière qu'il connaissait.

Il m'a dit qu'il était surpris de ne pas me voir mariée, que j'étais une femme exceptionnelle et très facile à côtoyer. C'était sa façon à lui de me demander pardon. Je savais que l'homme qui se tenait devant moi avait changé, qu'il avait fait du travail sur lui-même. Je l'ai respecté pour cela.

Encore une fois, pourquoi suis-je restée toutes ces années dans cette relation toxique ? Je ne sais pas. La peur. La honte. Il y a des choses qu'on ne comprend que beaucoup plus tard. J'ai beaucoup souffert du syndrome de l'imposteur dans ma vie. J'ai souvent eu peur que les hommes découvrent qui j'étais derrière l'image et qu'ils n'aiment pas la vraie Sonia. C'est peut-être pour cette raison que j'ai longtemps été attirée par des hommes qui n'étaient pas disponibles, m'évitant ainsi des déceptions. En réalité, je crois qu'aucun homme n'a rencontré la vraie Sonia.

Après cette rupture, je n'ai connu aucune histoire d'amour sérieuse jusqu'à la fin de la trentaine. J'ai mordu dans ma liberté retrouvée comme on croque dans un fruit mûr. Je n'avais plus à me rapporter, à téléphoner pour dire où j'étais et avec qui. Les femmes qui ont vécu cela savent de quoi je parle. C'est terrible : on a l'estomac noué en permanence. Avec le temps, j'ai retrouvé le plaisir de regarder les hommes, de flirter. Je n'en voulais pas plus. J'ai eu quelques aventures avec des hommes que je connaissais déjà. Des histoires d'un soir avec des inconnus ? J'en suis incapable.

La vérité, et elle n'est pas facile à dire, c'est que j'ai été chaste durant de longues périodes. Je connais plusieurs femmes qui se sont retrouvées dans la même situation, mais c'est un sujet tabou. Personne n'ose en parler, ça fait *loser* dans une société obsédée par le sexe et la performance. Désolée, mais je ne suis pas *cool*. Je ne suis pas une femme qui s'envoie en l'air avec n'importe qui.

Aussi importantes qu'aient été mes deux premières histoires d'amour, aucune n'a supplanté le théâtre, le rôle qu'il a joué dans ma vie, ce qu'il m'a appris et apporté. Pendant mes années à l'université, Mike mis à part, je ne vivais que pour le jeu, pour la scène. Je voulais passer ma vie sur scène. Puis, un jour, on m'a dit brutalement que je n'y étais pas à ma place. Parce que j'étais une « ethnique ». Une « pas comme les autres ». Une « pas pareille ». À la fin de mon cours universitaire, qui a duré trois ans, deux professeurs m'ont convoquée pour me prévenir que, même si j'avais du talent, je ne devais pas trop compter sur une carrière dans le show-business à cause de mon *look* : « Ton visage n'est pas le genre de visage qu'on a l'habitude de voir. Tes chances de gagner ta vie dans ce métier sont à peu près nulles, à moins que tu ailles vivre à New York. Il est de notre devoir de te le dire. »

Je me rappelle être restée figée sur ma chaise, bouche bée, bizarrement peu affectée par ce que je venais d'entendre, convaincue au fond de moi-même qu'ils avaient tort. Je n'ai pas répondu. Je n'ai pas pleuré, ce qui n'est pas facile pour moi, car je suis très sensible. Mais j'ignorais encore à quel point j'allais devoir travailler fort pour surmonter ce « handicap ethnique » et faire ma place.

De tous mes professeurs à Concordia, je me souviens surtout de Maria Corvin, notre *coach* de voix. Une professeure extraordinaire et une femme superbe aux cheveux argentés et aux yeux verts. Une formidable actrice qui avait joué sur toutes les grandes scènes d'Europe ; elle avait même travaillé avec Fellini. Elle ne voyait pas en quoi j'étais différente des autres et ne trouvait rien d'anormal à mon apparence. Plus tard, elle est partie à Toronto. À chacun de mes voyages là-bas, j'allais la voir et je l'emmenais au restaurant. Elle vivait dans la plus grande solitude. Ça me faisait beaucoup de peine.

Je ne peux pas non plus oublier la légendaire Norma Springford. Une autre qui ne ressemblait à personne. Mince comme un fil, elle portait toujours des jupes en denim aux chevilles et des chemises à carreaux boutonnées sous le menton. Elle fumait sans arrêt. Mes deux professeurs préférés étaient des femmes, des femmes fortes. Des femmes accomplies qui m'inspiraient beaucoup.

Est-ce que je me sentais différente ? Un peu, mais à Concordia, il y avait des étudiants de toutes les origines. Bien sûr, mes cheveux me différenciaient des autres, mes longs cheveux noirs, épais et bouclés qui descendaient jusqu'aux fesses. Mais est-ce que j'aurais souhaité me fondre dans la foule ? Oui, par moments…

Angela, une étudiante de dernière année, m'a fait vivre un de ces moments. Pour obtenir ses notes finales, Angela devait diriger le classique du théâtre grec *Antigone*, de Sophocle. J'ai passé l'audition pour le rôle de la sœur d'Antigone, Ismène, réputée fort belle. Le lendemain, j'ai vu mon nom sur la liste : j'avais obtenu le rôle. L'extase ! Les répétitions commençaient dès le jour suivant. Mais cette nuit-là, à 3 heures, le téléphone a sonné chez moi, réveillant toute la maisonnée. C'était Angela : « Je m'excuse de te déranger, mais je ne pouvais pas dormir sans te dire que je ne te donnerai pas le rôle de la sœur d'Antigone. Tu n'es pas assez belle, ce ne serait pas crédible. Les gens ne croiront pas en ton personnage. Désolée. » Inutile de vous dire que je n'ai pas fermé l'œil du reste de la nuit.

J'ai accepté un autre rôle dans la pièce, celui de la nourrice, une vieille dame, parce que j'avais besoin des points que cela me vaudrait. Après cela, on ne m'a plus jamais demandé d'auditionner pour un premier rôle féminin ; je jouais toujours la mère ou la grand-mère, alors que j'avais à peine vingt ans. Je n'ai jamais joué une jeune femme amoureuse. Les premiers rôles allaient aux grandes blondes minces. Nous nagions en pleins stéréotypes, même à l'université, un lieu qui devrait pourtant encourager la diversité. Le pire dans tout cela ? Angela, Miss Trois heures du matin, était elle-même une « ethnique » dans la quarantaine… Je rêve toujours de jouer une femme amoureuse d'un bel homme, mais, finalement, je préfère peut-être vivre ce rêve que le jouer…

Les années universitaires laissent à certains parmi les plus beaux souvenirs de leur vie. Pas à moi. J'avais un amoureux fou de jalousie, qui me traitait comme une prisonnière ; j'étudiais dans un domaine que j'adorais, mais qu'on disait sans avenir pour moi ; et je détestais vivre à Laval. Mais je dois admettre que le programme de théâtre de Concordia est tout simplement fabuleux. On y est dans une bulle, une bulle artistique.

Après l'université, inspirée par le film *Fame,* qui raconte l'histoire de jeunes qui étudient les arts de la scène dans une école de New York, je rêvais d'aller parfaire mes connaissances à Juilliard, la plus grande école de musique, de danse et d'art dramatique de la Grosse Pomme. Comme le reste de ma famille, ma sœur Esther m'a toujours encouragée à poursuivre mes rêves, même les plus fous. Elle a obtenu pour moi le formulaire d'inscription de Juilliard, a acheté trois billets d'avion et a réservé une chambre à l'Omni Berkshire, un hôtel raffiné à l'époque, en plein cœur de Manhattan. Et nous sommes parties avec maman pour un séjour de trois jours à New York, le temps que j'auditionne pour entrer à l'une des plus célèbres écoles de musique et d'arts de la scène dans le monde.

Quel voyage mémorable ! Pendant que nous visitions l'ancien quartier juif de New York, le Lower East Side, un vieux rabbin m'a arrêtée sur la rue Delancey, l'artère principale du quartier, pour me dire que j'étais destinée à de grandes choses… Comme on le demandait, j'avais préparé deux pièces pour l'audition. La première était un monologue du répertoire classique, un soliloque de Shakespeare. Pour la seconde, qui venait du théâtre moderne, j'avais choisi le monologue de *In the Boom Boom Room*. Cette pièce raconte l'histoire d'une jeune fille naïve qui débarque à Philadelphie avec le rêve de devenir danseuse et se retrouve à donner des spectacles de danse érotique dans un club miteux de la ville, le Big Tom's Boom Boom Room.

J'arborais le look théâtral intégral : jupette de danse, leggings noirs, souliers de scène achetés chez Rossetti et longue tresse dans le dos. Quand je me suis retrouvée devant les juges, dans un immense gymnase, j'avais vraiment l'impression d'être un personnage de *Fame*. J'ai tout donné pendant cette audition. Une des juges m'a même dit : « Vous êtes une actrice extraordinaire, surtout, n'abandonnez pas. »

Pourtant, le lendemain, mon nom n'apparaissait pas sur la liste des candidats choisis pour étudier à Juilliard. Je m'en doutais bien. J'avais vingt-deux ans ; tous les autres en avaient quinze ou seize. Ce n'était pas ma place. J'étais déçue, mais pas anéantie. Surtout, j'étais tombée amoureuse de New York, l'un des endroits au monde où je me sens chez moi, où je vais quand j'ai besoin de recharger mes batteries. Une fois par an, je passe un week-end à New York avec Eliane, ma meilleure amie depuis l'école secondaire.

Si l'amour n'a jamais été un long fleuve tranquille pour moi, l'amitié a toujours été source de belles histoires, sauf à une occasion. J'avais quinze ans, je terminais mon secondaire. Je sortais avec Maxime. Anne faisait partie de notre bande. Je la considérais comme une amie. Encore aujourd'hui, je ne comprends pas ce qui s'est passé entre nous. Je suis longtemps restée traumatisée par ce que je m'apprête à raconter.

Nous étions réunis à la cafétéria de l'école quand quelqu'un m'a dit qu'Anne était bouleversée. Je savais que son père ne se portait pas bien. Je me suis approchée d'elle pour la réconforter, mais elle s'est tournée vers moi et s'est mise à crier : « Va-t'en ! Ne me touche pas ! Je te déteste ! » J'ai d'abord pensé qu'il s'agissait d'une mauvaise blague, mais non, elle était sérieuse. Tout le monde me regardait comme si je lui avais fait mal. Ma copine Eliane, qui est par la suite devenue ma meilleure amie, m'a sortie de cette situation désagréable en me disant : « Allons-nous-en, allons-nous-en. » Je ne comprenais absolument pas ce qui venait de se passer.

Cet après-midi-là, pour la première fois et la dernière fois de ma vie, j'ai fait l'école buissonnière. Je me suis réfugiée chez Maxime et je n'arrêtais pas de pleurer. J'avais pourtant croisé Anne le matin même, et tout allait bien. Nous ne nous étions jamais querellées auparavant. Que s'était-il passé pour qu'elle se tourne ainsi contre moi, sans explication ? Pendant un bon mois, plusieurs de mes amis de l'école m'ont traitée avec froideur. Et puis, un jour, Eliane m'a dit : « Elle est jalouse de toi, lâche prise. » Eliane est la seule personne, à part Maxime, à m'avoir soutenue dans cette épreuve. « Tu n'as pas besoin d'elle.

Laisse tomber. » Cette histoire nous a rapprochées. Nous sommes devenues inséparables.

Beaucoup plus tard, j'ai revu Anne. Elle avait épousé son amoureux du secondaire. Quand nous avons appris qu'elle souffrait d'un cancer, Eliane et moi avons décidé de lui téléphoner. La conversation a duré très longtemps, comme si rien ne s'était jamais passé. C'est loin tout ça, et personne n'a jamais su pourquoi elle s'était ainsi fâchée contre moi. Mais j'avais trouvé mon amie pour la vie : Eliane.

Eliane et moi avons vécu toutes sortes d'aventures ensemble, certaines formidables, d'autres terribles. Nous sommes très différentes. Jamais, elle ne pleurerait en public, alors que moi… Mais nous nous complétons, comme le yin et le yang. Elle ne m'a jamais jugée, mais elle ose me dire des vérités que je dois entendre. Je lui rends la pareille, mais un peu plus doucement. Nous nous surnommons l'une l'autre Beans. Quand nous étions plus jeunes, j'appelais Eliane Beansie, et moi j'étais Sonia Beanso.

Eliane travaille dans le monde de la finance, et elle s'occupe de mes petits placements. Elle et son mari Robert ont deux beaux enfants, Tracy et Lisa. Elle n'a jamais été jalouse de mon succès, et je ne lui ai jamais envié ce que je n'ai pas : une famille bien à moi. Nous nous complétons.

Comme ma sœur Esther, Eliane aime bien me rappeler que je ne suis pas mère Teresa. Quand nous allons à New York, elle n'arrête pas de me dire que je suis trop gentille avec tout le monde, que je dois cesser de remercier les chauffeurs de taxi comme s'ils me faisaient un cadeau en me laissant monter dans leur voiture : «As-tu compté combien de fois tu lui as dit merci? »

J'étais très proche des parents d'Eliane, qui m'ont toujours traitée comme si j'étais de la famille. Il y avait toujours une place pour moi à table. Quand les répétitions se terminaient tard en soirée, j'allais dormir chez eux à Côte-Saint-Luc, au lieu de retourner à Laval. La mère d'Eliane me gardait toujours une assiette au frigo. Chaque année, le clan d'Eliane partait à la mer, à Wildwood, au New Jersey, sur la côte atlantique des États-Unis. Mes parents n'avaient pas les moyens de nous offrir des vacances de ce genre.

La mère d'Eliane, qui s'appelait Esther comme ma sœur aînée, est morte quand nous avions vingt ans. Je ne l'oublierai jamais. J'avais dormi chez elle la veille. Elle a été tuée, bêtement, un samedi soir sur la rue Saint-Laurent. Elle sortait d'un restaurant en compagnie de son mari, de sa cousine et du mari de cette dernière. Les hommes marchaient en avant; les deux femmes suivaient. Elles ont été frappées de plein fouet par une moto. Toutes les deux sont mortes sur le coup.

Je venais de perdre mon père, et voilà que la mère de ma meilleure amie, une femme dont je me sentais très proche, était tuée dans un accident. Elle n'avait que quarante et un ans. J'ai eu beaucoup de peine pour Eliane, pour toute sa famille. Eliane, l'aînée des trois filles, s'était mis en tête de voir le corps de sa mère pour lui faire un dernier adieu. Les gens le lui déconseillaient fortement; on lui disait qu'elle resterait marquée à vie. Mais rien n'était plus important pour elle que de voir sa mère une dernière fois. Je l'ai accompagnée à la morgue. Ses sœurs sont venues aussi. Quel courage!

Nous étions si jeunes…

Chapitre 3

MusiquePlus

Avant d'arriver à MusiquePlus, là où tout a débuté pour moi, j'ai vécu une expérience qui a probablement scellé mon destin professionnel. Après avoir été déclarée trop « ethnique » pour espérer jouer les premiers rôles féminins, je me suis fait dire que… je ne l'étais pas assez.

Le 12 septembre 1985, le journal *The Gazette*, par la voix de son éminente critique de théâtre Marianne Ackerman, a lâché la bombe : « Une actrice est congédiée parce qu'elle n'est pas assez noire. » Le réputé Tommy Schnurmacher, alors chroniqueur au même journal, a été le premier à m'appeler pour confirmer l'histoire et la relayer à sa collègue Marianne. Cela a fait la une… et le tour du Canada. Le Black Theater Workshop de Montréal m'avait retiré un rôle principal deux semaines avant le début des répétitions parce que je n'étais pas noire. Deux des sept comédiennes de la pièce avaient refusé de jouer avec moi pour cette raison. Le directeur artistique de la troupe, Don Jordan, m'avait aussi raconté avoir reçu des appels de gens de toutes origines qui s'étaient plaints de la couleur de ma peau. J'avais donc été remplacée par une actrice noire de Toronto. Ironiquement, j'étais la seule de la troupe à avoir une formation professionnelle en théâtre et à être membre de l'union des artistes Actra.

La pièce, qui avait connu un grand succès sur Broadway, s'intitulait *For Colored Girls Who Have Considered Suicide/When the Rainbow Is Enuf* (« Pour les filles de couleur qui ont pensé au suicide/Quand l'arc-en-ciel suffit ») et devait être présentée au Centaur, dans le Vieux-Montréal, le plus important théâtre anglophone de la ville. Je devais me glisser dans la peau d'une Noire d'origine espagnole et livrer un monologue en espagnol, ma langue maternelle.

La créatrice de la pièce, l'Américaine Ntozake Shange, une femme noire, a expliqué aux médias que la troupe originale de Broadway était composée de Noires, de Latinos, de Philippines et d'Indiennes. Elle a même ajouté : « Personne ne peut prétendre savoir mieux que moi pour qui cette pièce a ou n'a pas été écrite. » J'ai quand même perdu le rôle. L'actrice derrière ce mouvement de contestation, dont la mère est blanche, a déclaré aux médias que ce n'était pas une question de racisme, mais que mon personnage devait dire le mot « nègre », ce qui, venant de moi, aurait indisposé un public noir.

Finalement, ce scandale m'a ouvert une immense porte ! Moses Znaimer, le créateur des chaînes de télé CityTV à Toronto, MuchMusic et, plus tard, MusiquePlus, a lu cette nouvelle, qui, je l'ai dit, avait fait le tour du Canada. Il m'a raconté par la suite qu'il avait été impressionné par ma réponse à la journaliste : « J'aurais fait du bon travail. Je ne suis pas blanche. Et c'est une pièce qui parle des femmes. Je suis cent pour cent femme. » À l'époque, je n'avais jamais entendu le nom de Moses Znaimer, alors quand j'ai reçu un appel de son adjointe m'invitant à venir le rencontrer à son bureau de Toronto, je n'ai pas montré beaucoup d'empressement.

Moses Znaimer est né à Kulab, au Tadjikistan, où ses parents, des Juifs de Pologne et de Lettonie, s'étaient réfugiés pour échapper aux nazis. La famille Znaimer est arrivée à Montréal en 1948. Très pauvres, ils se sont installés dans un vieux logis sans eau chaude au troisième étage d'un immeuble de la rue Saint-Urbain. Les familles juives accordent beaucoup d'importance aux études, et ce, quelles que soient leurs ressources financières. Les parents se saignent à blanc pour que leurs enfants aillent à l'université. C'est d'ailleurs ce qui est arrivé dans ma propre famille ; il n'était pas question que les quatre filles Benezra ne fassent pas des études supérieures. Moses Znaimer a donc étudié la philosophie et les sciences politiques à l'Université McGill. Puis, il est entré à Harvard.

Diplôme de sciences de la gouvernance en poche, Moses a été embauché par la CBC au milieu des années 1960 pour animer une tribune téléphonique très populaire et qui existe toujours : *Cross-Country Checkup*. Brillant et original, il s'est rapidement senti à l'étroit à la société d'État, pas exactement réputée pour son audace. Il avait des idées à revendre, du chien comme pas un. Il a donc quitté la CBC pour créer CityTV en 1972, une télé jeune, branchée, spontanée, où tout pouvait arriver. En 1984 naissait MuchMusic, dans la foulée de MTV aux États-Unis.

Moses est un visionnaire comme on en croise rarement. Il a lancé la première chaîne canadienne consacrée aux arts, Bravo, en 1995, et la première chaîne spécialisée en mode, le Fashion Television Network. Et tant d'autres. Il est incroyable. Rien ne l'arrête. C'est un libre-penseur, un artiste et un homme d'affaires exceptionnel. Il a un pif ahurissant pour découvrir de nouveaux talents. Jamais une autre personne n'a eu un tel impact sur ma vie, ni avant ni après ma rencontre avec lui.

Quand sa secrétaire m'avait demandé si j'envisageais une visite à Toronto, je lui avais répondu que ça ne figurait pas dans mes plans, mais mon intuition me dictait de ne pas perdre ce contact. Quelques jours plus tard, j'ai appris que Moses Znaimer était le président de MuchMusic. Oups, ça changeait tout! J'ai tout de suite rappelé l'adjointe pour lui dire que je devais finalement me rendre à Toronto, que j'avais été convoquée par la CBC et bla-bla-bla, ce qui était faux. Elle m'a donné un rendez-vous et, avant de raccrocher, elle a ajouté : « Apportez un livre, M. Znaimer est toujours en retard. »

Je me revois dans le train pour Toronto. Je me sentais comme la fille de la campagne qui va en ville pour la première fois. Quand je suis arrivée au bureau de Moses Znaimer avec mon livre, Elizabeth, son adjointe, m'a dit : « Vous n'en aurez pas besoin, il est déjà là. » Elle a ajouté, étonnée : « Ça n'arrive jamais. » Je suis entrée dans son bureau, et Moses m'a serré la main. Il y avait des livres partout – sur les murs, sur la table de travail, par terre – et des tonnes de papiers, mais surtout des livres. J'étais stimulée par ce que je percevais. Il y avait de l'énergie dans l'air. L'endroit exhalait la créativité. On sentait qu'il se passait quelque chose dans ce lieu et dans la tête de cet homme.

Notre entretien a duré quatre heures. Il m'a parlé de lui, de ses réalisations, de ses projets, de ses rêves, mais il voulait aussi tout savoir sur moi, sur ma famille, ma vie à Montréal, sur mes rêves. Nous bavardions quand tout à coup, il m'a dit : « Qu'en penseriez-vous si je vous offrais du travail dans le monde de la musique ? Parlez-moi du milieu québécois. » Je ne sais pas d'où cette réplique m'est venue, mais je lui ai dit que je ne pouvais pas lui répondre sur un coup de tête et j'ai ajouté : « Si vous êtes en train de me dire que vous aimeriez que j'apprenne tout sur le business de la musique, reposez-moi la même question dans six mois. L'industrie de la musique est tout de même plus près de mon métier. » Il m'a regardée, surpris, et m'a demandé si j'étais disponible le lendemain. J'ai répondu du tac au tac :

« Je ne sais pas, mais avez-vous quelque chose en tête pour moi ?

— Oui, m'a-t-il dit, une audition devant la caméra, un bout d'essai. »

Je ne l'ai pas revu le lendemain, c'est le VJ vedette de MuchMusic, J. D. Roberts, aujourd'hui chez Fox News, qui m'a reçue. Je ne peux pas dire que j'ai gardé un bon souvenir de lui. La grosse tête, le monsieur… De toute évidence, il ne s'intéressait pas du tout à moi, et ça l'ennuyait d'avoir à me faire passer cette audition. Bref, il s'en foutait carrément, alors que c'était ma vie, mon avenir qui se jouait. Tout un contraste ! Il m'a installée devant la caméra comme on place un objet dans une vitrine, nonchalamment. « Je vais faire le décompte : cinq, quatre, trois, deux, un… et vous commencerez à parler en direction de la caméra. Parlez de quelque chose qui vous inspire en musique, dites pourquoi. En français et en anglais, s'il vous plaît. » Je me souviens que j'étais nerveuse, j'avais chaud. Je transpirais dans mon chandail de Sport Chalet, celui avec un nounours sur le devant, tellement cool pour une future VJ ! Je l'ai souvent porté en ondes et je l'ai encore, ce pull porte-bonheur.

Vingt-quatre heures plus tôt, je ne savais pas que j'allais passer un *screen test* dont dépendrait toute ma carrière. Je n'avais donc rien préparé, ce qui n'est pas dans ma nature. Professionnellement, je n'ai jamais parlé d'un disque sans l'avoir écouté au complet, et je n'ai jamais rencontré un artiste sans avoir tout lu à son sujet. Mais c'était probablement mieux comme ça. Si j'avais su ce qui se jouait à ce moment-là, j'aurais peut-être figé. Je n'ai même pas eu le temps de me concentrer quand j'ai entendu cinq, quatre, trois...

Je venais d'aller voir Tina Turner en spectacle et j'ai décidé de parler de cette femme incroyable, une de mes plus grandes idoles. Pas seulement l'artiste, mais aussi l'être humain. Une femme qui, en dépit de tout ce qu'elle a vécu, notamment la violence conjugale et la pauvreté, a choisi de ne pas placer son album *Private Dancer* sous le signe du règlement de compte ou du ressentiment. J'ai dit qu'avec cet album, qui marquait son retour en tant que chanteuse, au lieu de sombrer dans l'amertume, elle avait choisi la lumière et était devenue un modèle pour toutes les femmes.

J'étais dans un tel état ! Je savais quelle conséquence cette audition pouvait avoir sur ma vie ; je le sentais au plus profond de mon être. Quand j'ai quitté le studio, je me suis précipitée dans une cabine téléphonique du centre Eaton d'où j'ai appelé ma cousine Judith, à Toronto (c'était l'époque P.C. : précellulaire). Je lui ai dit : « Judy, je sais que ma vie va changer à compter d'aujourd'hui. » J'ai raccroché et j'ai traversé le centre commercial sur un nuage rose.

Je suis retournée à Montréal, confiante, remplie d'espoir. Le soir même, je suis tombée, par hasard, sur un documentaire présenté à la CBC qui racontait la vie de Moses Znaimer. Heureusement que je n'avais pas vu ce film avant d'aller le rencontrer... J'aurais été intimidée au possible et jamais je n'aurais osé lui parler comme je l'ai fait. C'est tout un personnage ; il est mystérieux et son regard perçant fixe les yeux de son interlocuteur. Il a même l'air d'un professeur d'université. Mais dès qu'il ouvre la bouche, on est subjugué. Cet être humain est une véritable machine à idées, un créateur doublé d'un homme d'affaires de génie. Après avoir révolutionné la télévision canadienne à l'époque de MuchMusic et de MusiquePlus, il continue encore aujourd'hui à refondre le paysage culturel du Canada en créant des médias novateurs, des lieux d'échange comme *Ideacity Conference,* un incubateur d'idées alimenté par de grands intellectuels de divers horizons, pour ceux qu'il nomme les « zoomers », c'est-à-dire les baby-boomers qui ont du chien, du zip, du zing. Même s'il a depuis longtemps passé ce qu'on appelle l'âge de la retraite, un concept qui semble lui échapper, il est trop occupé pour vieillir !

Aujourd'hui, comme à l'époque, cet homme fascine, stimule et change des vies. Il a changé la mienne. Oui, j'avais rêvé de faire du théâtre, mais Moses Znaimer m'a fait découvrir le monde de la télévision. Et puis, faire des entrevues à la télé, ça vaut quand même mieux pour une actrice sans travail que d'arrondir ses fins de mois en travaillant comme barmaid !

Quatre jours après cette audition, j'ai reçu un appel de son adjointe, Elizabeth : « Moses a un message pour vous. Il fait dire de ne pas vous acheter une garde-robe punk tout de suite, mais s'il obtient la licence du CRTC pour MusiquePlus, vous serez la première embauchée. » Ma voix est restée calme pendant que je parlais avec elle, mais dès que j'ai raccroché, j'ai explosé de joie. Je criais comme une folle dans la maison, au point d'inquiéter ma mère.

Il a fallu attendre un an avant que MusiquePlus entre en ondes. J'ai continué à travailler dans les boutiques de mode. Quand Moses venait à Montréal, on se rencontrait.

Un jour, il m'a tendu un billet pour le gala de l'ADISQ. « Va te pomponner, tu sors ! » Moi ? Aller à l'ADISQ ? Toute seule ? C'était l'année où Martine Saint-Clair et Céline Dion étaient en concurrence dans la catégorie Interprète de l'année. Céline, qui venait de connaître un mégasuccès avec *Une colombe*, a gagné le trophée, mais Martine Saint-Clair a produit tout un effet quand elle est arrivée avec son entourage, vêtue d'une longue cape noire. À ce moment-là, on aurait pu se demander laquelle des deux, Martine ou Céline, allait connaître une grande carrière internationale. Quelle soirée étrange ! J'avais l'impression d'être un poisson hors de son bocal, mais cela faisait partie de mon apprentissage.

Dès que j'ai su que je serais probablement VJ à MusiquePlus, je me suis mise à acheter les magazines sur la musique québécoise : *Québec Rock, Live ! Le journal rock*. Je voulais tout apprendre sur les artistes d'ici, car je n'y connaissais pas grand-chose au départ. Mes idoles s'appelaient Marvin Gaye, Barry White, Luther Vandross. J'aimais la musique soul, rhythm'n'blues. J'ignorais presque tout d'Harmonium, de Robert Charlebois et d'Offenbach, mais qu'à cela ne tienne, j'allais devenir une experte ! J'ai créé des dossiers sur chaque artiste. J'ai tout lu, tout écouté, tout noté. Et relu et réécouté jusqu'à ce que mon ADN en soit modifié !

Restait la question de la langue. Comme je l'ai déjà expliqué, le français est ma troisième langue, après l'espagnol, ma langue maternelle, et l'anglais, langue dans laquelle j'ai été éduquée. Un jour, j'ai demandé à Moses : « Pourquoi tenez-vous à ce que je travaille en français ? Ce n'est pas ma langue. Je parle mieux l'anglais.

— Tu vis dans une province francophone et tu parles français. Tu as un accent, tu es d'une origine différente de celle de la majorité, tu connais d'autres langues. C'est exactement ce que je recherche. Je ne veux pas que tu parles français comme les autres. »

J'en ai fait, des erreurs de langue ! Je travaillais fort et je me reprochais plus que les autres mes lacunes en langue française. On m'a d'ailleurs imitée dans mes maladresses… Mes difficultés avec le français m'ont forcée à demeurer aux aguets. Je ne pouvais pas me laisser aller en ondes.

L'aventure MusiquePlus a commencé sur une controverse. Au début, le directeur général, Pierre Marchand, ne comprenait pas vraiment pourquoi Moses Znaimer m'avait choisie pour faire partie de l'équipe des premiers VJ. Il ne ratait pas une occasion de me mettre en garde, de me rappeler que ma vie professionnelle serait très difficile, que les gens ne m'aimeraient pas. Je pense qu'il faisait cela pour me provoquer. Son opinion a changé quand il a découvert mon talent pour la traduction simultanée, en direct. Je faisais mes entrevues en anglais, que je traduisais en français au fur et à mesure de leur déroulement, ma marque de commerce.

Je suis dotée d'une mémoire très efficace, et ma formation en théâtre me permet de retenir facilement tout ce qu'on me dit, et dans le bon ordre. Au fil des années, j'ai développé une compétence unique en ce sens. Les artistes adoraient ça, les téléspectateurs aussi : la traduction simultanée en direct est beaucoup plus conviviale que le sous-titrage. Question de style ! Aujourd'hui, c'est courant, mais à l'époque j'étais une pionnière.

Cependant, je dérangeais. Le patron d'un des câblo-distributeurs qui devait diffuser MusiquePlus au Québec a téléphoné à Moses Znaimer pour lui dire que l'entreprise allait briser son entente avec MusiquePlus si j'apparaissais à l'écran. On ne me l'a raconté que beaucoup plus tard, Dieu merci, j'avais assez de stress à gérer comme ça. Moses et Pierre Marchand ont réussi à calmer le jeu, mais il était clair que je ne faisais pas l'unanimité. À ceux qui disaient que j'avais un accent, Moses Znaimer répondait : « Vous allez vous y habituer. »

Malgré le soutien du grand patron, certains membres de l'équipe ne se gênaient pas pour me faire sentir que je n'étais pas à ma place. Je n'oublierai jamais la soirée organisée pour marquer le coup d'envoi de MusiquePlus, le 2 septembre 1986, au Spectrum de Montréal. Ma mère avait conçu et réalisé les trois ensembles que j'allais porter ce soir-là. J'étais dans la salle de bain et je maquillais ma collègue VJ, Catherine Vachon, avec qui j'étais allée magasiner pour l'aider à choisir sa tenue pour le lancement. Une des dirigeantes de la station, une femme connue dont je tairai le nom par charité, est entrée, a regardé Catherine et s'est exclamée « Comme tu es belle, vraiment, vraiment belle ! » avant de ressortir, sans même poser un regard sur moi.

En dépit de cette petite méchanceté, ce soir-là, je savais que mes rêves s'étaient enfin réalisés. Il y avait beaucoup à apprendre, mais j'étais transportée par un optimisme et une bonne volonté à toute épreuve. Je n'y peux rien, je suis faite comme ça. Personne ne m'avait dit de ne pas crier dans le micro, que le bruit ambiant qui m'importunait moi, n'empêchait pas les gens à la maison de nous entendre. Mille excuses à ceux et celles dont j'ai écorché les oreilles ce soir-là. Erreur de débutante et manque d'informations techniques.

Pour combler mes lacunes, j'ai bossé comme une folle. Après le travail, je rentrais à la maison étudier mes dossiers pendant que mes collègues sortaient s'amuser dans les bars. Je n'ai jamais fait une entrevue sans avoir écouté tous les disques de l'invité, lu tous les dossiers de presse sur lui et pris connaissance de toutes ses entrevues précédentes. Les artistes ont fini par se rendre compte que j'étais solidement préparée, et c'est l'une des raisons pour lesquelles je n'ai jamais eu de mal à obtenir des interviews avec les plus grandes stars de la planète. J'ai interviewé Paul McCartney quatre fois, dont trois à sa demande. Lors d'une de ces entrevues, il m'a parlé du veston Parasuco en peau de vache, style Ding et Dong, que je portais la fois précédente. Il ne m'avait pas oubliée. Du moins, il n'avait pas oublié ma veste. Je l'ai encore !

À MusiquePlus, je n'étais pas représentée par un agent. Je n'en avais pas vraiment besoin. Contrairement à la plupart des animateurs à la télé ou à la radio, nous n'avions pas le droit d'enregistrer des messages publicitaires pour des clients extérieurs à l'entreprise. Pas de « Ici Sonia Benezra pour le yogourt machin… » Moses était très strict sur ce principe. Nous représentions MusiquePlus, et rien d'autre. C'était tout à son honneur.

MusiquePlus était un peu l'ancêtre de la téléréalité. Rien n'était scénarisé. Nous devions demeurer authentiques devant la caméra ; personne ne devait jouer un rôle. Telle était la commande que nous avions reçue.

Vu de l'extérieur, travailler à MusiquePlus était très glamour, mais, en vérité, nous étions moins payés que la majorité des artisans de la télévision. Quelques jours avant la mise en ondes, Moses avait réuni tous les employés pour nous rappeler l'importance d'être nous-mêmes, en ondes et hors d'ondes. Il avait dit : « Prenez Sonia, par exemple, si elle conduit une Pinto brune, les téléspectateurs devraient pouvoir le percevoir, car cela reflète quelque chose de sa personnalité. » Du tac au tac, j'ai répondu devant tout le monde : « La seule chose que ma Pinto brune reflète, Moses, c'est mon salaire. » Tout le monde s'est mis à rire, il a fait la moue, mais j'ai senti qu'il aimait néanmoins mon culot.

Nous devions nous maquiller et nous coiffer nous-mêmes. Nous ne recevions pas d'allocation pour nos vêtements. Certains détaillants, je pense notamment à Parasuco, nous en offraient, par gentillesse, surtout, car nous n'avions pas le droit de les remercier en ondes ou de mettre au générique « Sonia Benezra est habillée par… » Moses Znaimer détestait ces échanges de bons procédés qui sont monnaie courante partout ailleurs.

J'étais maniaque. Mes collègues venaient me voir pour me demander de les aider à préparer leurs entrevues. Nous étions si jeunes. J'avais vingt-six ans. Mais quelle équipe extraordinaire ! J'adorais mes coanimateurs, Catherine Vachon et Marc Carpentier. Et tous mes collègues VJ, Marie Plourde, Claude Rajotte, Denis Talbot, Paul Sarrasin, Paul Beauregard, Francis Bay, Nathalie Richard et Marie-Ange Barbancourt. Nous partagions un grand bureau circulaire et nous nous entendions comme larrons en foire. Je ne me souviens pas d'une seule querelle d'équipe.

Claude Rajotte était assis en face de moi ; dans la vie comme en musique, mon opposé, mais un homme que j'aime d'amour. Lui détestait mon émission *Rock Velours*, consacrée au rock romantique, et s'en moquait souvent en ondes. Et moi je faisais tout pour qu'il « plogue » mon show à son émission, jusqu'à essayer de le soudoyer en lui glissant à la blague des billets de 20 dollars pendant qu'il animait son émission. Un jour, il m'a remplacée à Rock Velours. Je n'avais jamais rien vu d'aussi drôle. Il s'était mis du rouge à lèvres, des décorations de Noël en guise de boucles d'oreilles et avait dit en ondes : « Les gars, frottez-vous contre votre téléviseur. » Aujourd'hui, sa parodie serait considérée comme osée, mais c'était un grand moment de télévision. Je me souviens aussi que Claude aimait fouiller dans mes affaires en ondes : « Allons voir ce que Sonia cache dans son tiroir. » Évidemment, il y avait placé d'avance des croissants, des bijoux, n'importe quoi. De la folie furieuse. Nous avons beaucoup ri.

Les deux premières années, MusiquePlus était diffusé de 20 heures à minuit tous les soirs, en direct des studios de MuchMusic à Toronto. Nous devions séjourner dans la Ville Reine à tour de rôle quelques jours par semaine. La vie d'hôtel, je connais ; ce n'est pas toujours glamour, mais j'ai trompé ma solitude avec du travail, et encore plus de travail.

Cette folle et magnifique aventure a duré jusqu'en 1991, moment où j'ai quitté MusiquePlus pour animer un talkshow quotidien intitulé *Sonia Benezra*, à TQS. Toutefois, je suis revenue au bercail en 1997, à la demande de Moses, comme tête d'affiche de sa nouvelle station, MusiMax.

J'ai eu le privilège de travailler avec des individus formidables, qui ont eu des gestes de grande gentillesse envers moi. Quand je quitterai définitivement le métier, je ne me vengerai pas, ce n'est pas mon genre ; je vais plutôt remercier tous ceux et celles qui m'ont aidée. Certains auront des surprises.

Mais tout en haut de la liste, il y aura toujours Moses Znaimer. Je sais qu'il a essuyé beaucoup de critiques quand il m'a embauchée à MusiquePlus, mais plus il en recevait, plus il me poussait à l'avant-scène. Il ne l'a pas fait que pour moi, mais aussi pour chaque immigrant, chaque apatride, chaque minorité ethnique. Pour ses parents réfugiés du nazisme. Et parce qu'il a compris que les gens allaient s'intéresser à moi.

Moses ne s'est jamais battu à ma place, il voulait que j'apprenne à me défendre toute seule. Nous sommes devenus des amis. J'étais aux funérailles de ses parents. Nous discutions beaucoup ensemble. Je n'ai jamais rencontré quelqu'un d'aussi inspirant intellectuellement que Moses Znaimer. Il m'arrive de le supplier de revenir à Montréal pour brasser la cage en télévision, surtout du côté des variétés. Pourquoi se contenter d'adapter des concepts étrangers?

Moses est un personnage controversé. Il dérange. Il a un gros ego, mais un cœur encore plus gros. Il adore les gens qui ont du talent, et sait les reconnaître et les soutenir mieux que quiconque. Quand j'ai quitté Musique-Plus pour TQS en 1991, Pierre Marchand m'a dit : « Ne fais pas ça, tu vas le regretter. Si l'émission est annulée au bout de trois semaines, que deviendras-tu? » Mais Moses, qui a tout fait pour me garder, a compris que j'étais déchirée. Il m'a rassurée : « Vas-y. Si ça ne fonctionne pas, on te reprendra. Fonce. »

« Fonce », c'est aussi le conseil que m'a donné la chanteuse Annie Lennox, la dernière personnalité internationale que j'ai interviewée avant mon départ de MusiquePlus. Elle est arrivée au studio avant l'heure et nous avons pu bavarder entre femmes. Elle s'est intéressée à moi, à ma carrière. Elle me posait des tas de questions, ce qui est vraiment rare. Je lui ai parlé de mon dilemme, TQS ou MusiquePlus? Je devais donner ma réponse quarante-huit heures plus tard. Annie m'a répondu : « Je le sens dans mon âme, Sonia. Accepte cette offre. Ne te sous-estime pas. Je crois en toi. » Sans le savoir, Annie Lennox m'a aidée à prendre ma décision. N'est-ce pas incroyable?

Je ne l'ai jamais revue, mais je lui dis « Merci, Annie ».

Chapitre 4

La reine de TQS

Comme je n'avais pas d'agent, les producteurs qui souhaitaient me proposer de nouveaux projets devaient me contacter directement. J'ai dû recevoir quatre ou cinq appels avant qu'une grosse maison de production, Coscient – aujourd'hui Zone 3 –, m'offre un talkshow quotidien à TQS. La station connaissait des difficultés ; la direction avait besoin d'une émission pour attirer un public plus jeune, celui que recherchent les annonceurs. Il fallait un show différent, audacieux, et j'avais acquis une excellente réputation comme intervieweuse.

Je ne crois pas qu'ils avaient anticipé le succès qu'a connu pendant quatre ans l'émission qui a porté mon nom : *Sonia Benezra.* J'ai négocié seule mon contrat. J'ai assisté à toutes les réunions de production et je me suis retrouvée à la barre d'une quotidienne, diffusée en direct de 18 h 30 à 19 h 30, avec cinq ou six invités par soir. Pensez-y : cela représente deux cent dix émissions par année, soit plus de mille personnalités à interviewer par an.

Mon talkshow est entré en ondes à l'automne 1992. Le succès fut immédiat et fulgurant. Marleen Beaulieu, plus forte et plus confiante qu'un général et son armée, en était la productrice.

Monter une nouvelle émission de télé exige beaucoup de travail et beaucoup de gens. En plus du choix de l'animatrice, il faut peaufiner le concept, trouver le bon réalisateur, décider du déroulement, choisir les musiciens, imaginer les décors, etc. Il y a des centaines de détails à régler. Il faut aussi enregistrer une émission-test, le pilote, comme on dit dans le milieu. Quand on m'a annoncé le nom de mes invités pour ce pilote qui n'allait jamais être diffusé, j'ai failli m'évanouir : Dominique Michel, Julie Masse et Martine Saint-Clair, trois des plus grandes stars de l'époque ! TQS misait beaucoup sur ce talkshow. Rien n'était laissé au hasard.

Une équipe de professionnels s'est occupée de mon look. Je n'étais pas habituée à un tel luxe. Une fois habillée, coiffée, maquillée, je me suis retrouvée sur *mon* plateau et j'ai entendu le régisseur faire le décompte : « Cinq, quatre, trois, deux, un… » Au bout d'une heure de tournage, sans interruption, j'avais prouvé que je pouvais faire soixante minutes de télé en direct au cœur d'une grosse production. Je crois que mes patrons étaient très impressionnés par ce qu'ils venaient de voir. Je n'avais jamais fait cela de ma vie, et pourtant j'avais respecté les temps et réalisé des entrevues solides. Tout s'était passé comme sur des roulettes.

Tout de suite après ce pilote, on m'a mis un contrat de deux ans dans les mains, en me suppliant de le signer sur-le-champ. Je n'ai jamais regretté d'avoir d'accepté cette offre en or. Mais qu'est-ce que j'ai travaillé fort pendant ces quatre années follement excitantes ! Je me suis un peu perdue dans tout cela. Malgré ça, je n'ai pas remisé mes valeurs au vestiaire, j'ai seulement oublié de vivre. Je pensais que cela se ferait tout seul. Erreur de ma part.

Pouvoir inviter des anglophones faisait partie de mes conditions pour animer ce talkshow. J'ai dit aux producteurs que je ne quitterais pas une station de télé où je pouvais interviewer Paul McCartney et David Bowie en direct. Si un groupe comme Duran Duran acceptait de se produire à mon émission, pourquoi une question de langue les en empêcherait-elle? Je ne me voyais pas leur dire : «Vous ne pouvez pas venir à mon show parce que tout doit être en français.» C'était une condition *sine qua non* pour moi; j'apportais une liste impressionnante de contacts internationaux et je voulais les mettre à profit. Les producteurs ont fini par accepter. Comme à MusiquePlus, j'allais traduire les entrevues en français au fur et à mesure qu'elles se déroulaient. Une décision qui a été payante pour tout le monde.

Mon studio est devenu l'un des endroits les plus excitants du show-business au Canada. J'ai reçu des gens aussi différents et aussi exceptionnels que le grand maître du cinéma français Claude Lelouch et la légende de la musique R&B, Barry White. Et pas question pour les artistes, même les plus populaires, d'amener leurs musiciens; ils devaient accepter d'être accompagnés par les musiciens de la maison, le *house band*, comme on dit, dont la chef d'orchestre Hélène Dallaire est devenue une bonne amie. Personne ne perdait au change, car ces musiciens étaient les meilleurs en ville. Par la suite, certains d'entre eux ont accompagné Céline Dion. Même chose du côté technique. Le réalisateur, Jean Lamoureux, est devenu le réalisateur fétiche de Julie Snyder. Ma coiffeuse de l'époque, Manon Côté, coiffe Véronique Cloutier, et mon maquilleur, Bruno Rhéaume, la maquille. Mon ex-styliste Réjean Desrochers habille Patricia Paquin.

Nous étions soumis à un rythme d'enfer. Claude Lelouch m'a dit, ébahi : « Vous faites ça tous les jours ? Mais ce n'est pas possible ! En France, ce serait impensable. » Les gens de la CBC sont venus voir l'émission ; ils songeaient à produire une version anglaise, mais ils ont eu peur. À leurs yeux, le show était trop gros, trop glamour… De plus, les auditeurs canadiens-anglais aiment les émissions américaines, comme le *Late Show with David Letterman*, qui reposent sur un humour sarcastique.

Je n'ai pas parrainé que des artisans de la télé, j'ai aussi contribué à lancer plusieurs carrières, soit dit sans prétention. Je pense, entre autres, à Marc Dupré et à Lara Fabian.

Un dimanche soir, en regardant *Les Étoiles du Capitole* à TVA, j'ai vu un beau jeune homme faire un numéro d'imitation époustouflant, à la André-Philippe Gagnon. Je n'ai pas compris pourquoi il n'avait pas gagné ce soir-là. J'ai attendu le générique pour noter son nom. Le lendemain, je suis arrivée au bureau tout excitée, et j'ai demandé à mes recherchistes de retrouver ce bel inconnu traité injustement la veille – du moins à mes yeux et à mes oreilles –, pour l'inviter à faire son numéro à mon émission. Tout a commencé à ce moment précis pour Marc Dupré. Vingt ans plus tard, il ne l'a toujours pas oublié, et moi, je me souviendrai toujours de l'immense bouquet de fleurs blanches qu'il m'a offert quand il n'était qu'un gamin. Bravo Marc Dupré !

Je connaissais Lara Fabian depuis MusiquePlus. Elle était venue à mon émission promouvoir son album. À l'époque, j'avais un rituel : je suivais religieusement les répétitions de nos artistes invités de la salle de maquillage, pendant qu'on me transformait en *glamour girl*. Quand j'ai entendu Lara Fabian répéter avec mes musiciens et s'amuser avec eux, j'ai été renversée. Cette fille pouvait chanter n'importe quoi. J'ai tout de suite voulu l'aider. Je l'ai invitée à maintes reprises. La deuxième ou la troisième fois, je lui ai suggéré d'interpréter un classique, *Memories*, la plus belle mélodie du *Fantôme de l'Opéra*. Un moment magique. Le lendemain, elle vendait quinze mille exemplaires d'un album qui n'avait pas bougé depuis des semaines.

Au fil du temps, nous avons noué des liens personnels. Son agent et amoureux de l'époque, Rick Allison, me tenait au courant de tout ce qui se passait dans la vie de Lara. Ils se sont même fiancés durant mon émission ; nous avions fait venir les parents de Lara de Belgique pour lui faire une surprise. Je lui prêtais des vêtements et des chaussures, comme on fait avec une amie intime.

Puis, comme son talent le promettait, elle est devenue une grande star. Je me suis peut-être trompée sur la vraie nature de nos relations, mais j'ai été blessée quand elle a donné à Jean-Pierre Coallier, dont le talkshow *Ad Lib* était notre principal concurrent, la primeur de son nouvel album, *Carpe Diem*. Ma chef d'orchestre, Hélène Dallaire, mes musiciens et moi-même étions bouleversés, et que dire de mon bassiste, Marc Langis, qui en avait écrit la chanson titre… À partir de là, un froid s'est installé entre Lara et moi. Le temps a arrangé les choses. En 2011, quand elle est venue à *Benezra reçoit* à MusiMax, elle m'a offert des fleurs en ondes et m'a livré un témoignage émouvant. J'ai senti que c'était sa façon à elle de me dire merci pour les petits coups de pouce au début de sa carrière.

Encore aujourd'hui, je croise des artistes qui me remercient d'avoir été la première à les recevoir et qui sont heureux de me dire : « J'ai commencé chez toi. » Isabelle Boulay et Éric Lapointe ont fait leurs premières apparitions télé à mon émission. Même chose du côté des humoristes : Stéphane Rousseau, Anthony Kavanagh et François Morency se sont fait connaître chez moi.

Je n'ai jamais manqué une émission pour cause de maladie. Un soir, j'ai dit au public : « Aujourd'hui, j'ai mal au dos. Si vous trouvez que je ne suis pas au *top* de ma forme, vous avez raison, mais je ne voulais pas rater notre rendez-vous. Merci d'être compréhensifs. » Le lendemain, les réceptionnistes de TQS ont reçu des tas d'appels de gens qui voulaient m'offrir des remèdes de toutes sortes pour mon mal de dos. Le public a toujours été ma plus grande source de réconfort.

Lorsque l'émission a été retirée des ondes après quatre ans, en 1996, on m'a diagnostiqué une pneumonie. Comme si mon corps m'imposait de prendre congé du stress accumulé pendant toutes ces années de vie professionnelle sans répit. Quand je travaillais, je sortais rarement. Tous les soirs, je rentrais à la maison pour préparer mes entrevues du lendemain.

J'ai beaucoup souffert du syndrome de l'imposteur, qui afflige un grand nombre de femmes. Vous savez, ce syndrome qui nous empêche de reconnaître que nos succès peuvent tenir à notre valeur personnelle et qui nous porte à les attribuer à la chance, au travail acharné, à l'aide des autres, etc. J'ai toujours eu l'impression que je devais travailler plus fort que les autres pour prouver que je méritais la chance qui m'avait été donnée, à moi, fille d'immigrants, pas tout à fait comme les autres, avec un accent et de gros cheveux. Au cours de ma carrière, il y a même des gens qui m'ont conseillé de ne pas utiliser mon nom de famille, trop difficile à prononcer. J'ai refusé bien sûr, mais je me suis longtemps sentie obligée de prouver ma valeur. Il m'est arrivé d'entendre des commentaires du genre : « Elle sort d'où celle-là ? Elle vient voler nos jobs à la télé. » Encore aujourd'hui, je me sens parfois obligée d'expliquer à des gens du milieu que je suis bel et bien née au Québec.

Il va sans dire qu'il n'y avait pas de place pour l'amour dans ma vie à cette époque. J'étais éprise de quelqu'un que j'avais rencontré en Israël, au mariage de mon cousin Nissim, mais cette histoire n'avait aucun avenir compte tenu de la distance qui nous séparait et de mon travail qui consumait toutes mes énergies. Mais au moins, je savais que mon cœur pouvait encore battre pour quelqu'un.

Par contre, personne ne pourra nier l'existence d'une belle histoire d'amour entre le public, l'industrie et moi durant ces années de pure magie. Tous les jours, des gens m'arrêtent dans la rue pour me dire qu'ils s'ennuient de moi, qu'ils aimeraient me revoir, qu'ils ne comprennent pas pourquoi j'ai quitté le petit écran. Ils me demandent quand je vais revenir. Je sais que j'ai marqué la télévision québécoise, et on me l'a prouvé à maintes reprises.

Au printemps 1993, je remportais mon premier trophée MetroStar dans la catégorie meilleure animatrice de talkshow/variétés. Mon concurrent n'était nul autre que Jean-Pierre Coallier, qui animait *Ad Lib* à TVA, une émission immensément populaire. Et c'est moi, la petite nouvelle, qui suis allée chercher le trophée, remis par Mitsou. Le lendemain, Jean-Pierre Coallier, un vrai gentleman, m'a téléphoné pour me féliciter et pour me demander de l'accompagner à la cérémonie l'année suivante. J'ai gagné une seconde fois en 1994 et, quand mon nom a été annoncé, Jean-Pierre s'est levé devant tout le monde pour m'embrasser la main ; ça s'appelle avoir de la classe. En 1995, j'ai gagné le trophée dans cette catégorie une troisième fois, en plus d'être choisie Personnalité féminine de l'année.

Je n'oublierai jamais ce 31 décembre 1993, où, en pyjama à la maison, je regardais le *Bye Bye* comme tout le monde au Québec. Tout à coup, j'ai cru reconnaître le décor de mon émission, puis j'ai aperçu Dominique Michel qui parlait et gesticulait comme moi ! Quand j'ai compris ce qui se passait, j'ai tout de suite pensé à mon père, qui adorait Dominique Michel. Si seulement il avait vécu assez longtemps pour voir son idole imiter sa fille ! Quand elle a dit « ça vient de mon fond », j'ai cru que j'allais mourir de rire. Pour la petite histoire, sachez que je n'ai jamais utilisé cette expression, qui est maintenant passée dans le langage courant ! Je la dois à Stéphane Laporte, qui l'a inventée pour le *Bye Bye,* et je lui en suis vraiment reconnaissante !

Claudine Mercier m'imite aussi à merveille. Elle a déjà créé tout un spectacle autour de mon personnage qui interviewe des artistes qu'elle imite. J'étais très flattée. À la centième représentation, son chum m'a téléphoné pour me demander d'assister à la représentation sans qu'elle le sache. À la fin du spectacle, pendant qu'elle remerciait son équipe, je me suis levée dans la salle et j'ai crié : « Et moi, Claudine, tu ne me remercies pas ? » Quand elle m'a vue, elle a fondu en larmes. Je suis montée sur scène pour l'embrasser et la féliciter. Le public nous a ovationnées.

Un soir, j'ai reçu à mon talkshow Claudine déguisée en moi nous avons fait le coup des animatrices jumelles pendant toute l'émission. Nous avons même chanté ensemble un grand succès repris par Louis Armstrong, *I Say Tomato, You Say Tomato*, composé par George et Ira Gershwin pour le film *Shall We Dance* (1937) avec Fred Astaire et Ginger Rogers. Cela dit, l'humour n'est pas toujours drôle pour la personne visée. J'ai été blessée par une imitation de moi qu'a faite Bruno Landry de Rock et Belles Oreilles très tôt dans ma carrière. MusiquePlus venait tout juste d'entrer en ondes, j'avais vingt-six ans. On avait maquillé Bruno de manière à me faire paraître vulgaire. J'ai été heurtée. Pauvre Bruno, il a tellement regretté cette imitation… Il s'est excusé publiquement des dizaines de fois. Il a même publié une lettre dans le magazine *7 Jours* il y a deux ans pour me dire qu'il était encore triste de m'avoir blessée. Je ne crois pas que les membres de Rock et Belles Oreilles se soient excusés souvent… et tout est pardonné depuis longtemps. J'aime beaucoup Bruno et j'ai été très touchée par sa gentillesse.

J'ai aussi été émue par la générosité de François Pérusse, qui est venu me chanter la pomme à mon émission avec une « œuvre » de son cru : « Sonia, Sonia, je te souhaite d'être interviewée par toi. Quand je rentre à la maison, ma tête est si grosse qu'elle ne passe plus la porte… » Une chanson d'amour façon Pérusse, ça ne s'oublie pas. J'ai gardé la cassette dans l'auto pendant des années ; quand je me sentais triste, je l'écoutais. Cette chanson avait des vertus thérapeutiques. Un jour, je suis allée au lave-auto, et l'enregistrement a disparu. Je paierais cher pour mettre la main sur un autre exemplaire. Ceci est un appel à tous.

Les artistes, au fil des ans, m'ont réservé de grands moments de tendresse. Je pense à Dan Bigras qui est venu me rendre une visite surprise à mon émission le jour de mon anniversaire. Il m'a entraînée vers le piano et m'a chanté le classique de Joe Cocker : *You Are So Beautiful To Me.* Je pourrais interviewer Dan mille fois, et ce ne serait pas encore assez. Dire que j'avais tellement peur de lui au début… Nous avons tissé des liens qui ne s'effriteront jamais.

Les artistes m'ont souvent confié leurs secrets, sachant que je ne les trahirais jamais. Même René Angélil l'a dit pendant l'émission *Musicographie* que MusiMax m'a consacrée. Tous et toutes savaient que j'allais respecter *leur* vérité, que j'allais les respecter comme êtres humains. Ils avaient confiance en moi et me faisaient part de leurs confidences.

Je me souviens d'avoir reçu Melissa Etheridge à mon talkshow pour le lancement de *Yes I am*, l'album sur lequel elle a fait son *coming out* en tant que lesbienne. Elle avait gardé un bon souvenir de nos rencontres à MusiquePlus. Je suis allée la voir dans les coulisses avant l'émission pour lui dire que je souhaitais parler de l'album, mais aussi de son *coming out.* « Oh ! my God, m'a-t-elle répondu, puisque tu m'as avertie, tu peux me poser toutes les questions que tu veux. Tu n'as pas fait comme David Letterman. » Ce dernier avait été assez brusque avec elle pour créer un moment de malaise historique à la télévision américaine.

Je n'ai jamais eu peur de poser des questions difficiles, des questions que personne d'autre n'osait poser. Je ne suis pas complaisante. Au contraire. Tout est dans la manière.

Le respect des artistes est peut-être ce qui m'a permis de vivre dans l'orbite immédiate du couple Dion-Angélil pendant douze ans. J'ai connu Céline à l'époque de l'album *Incognito,* qu'elle était venue présenter à MusiquePlus. Par la suite, je l'ai souvent reçue en entrevue. Elle a chanté à mon émission à maintes reprises. J'ai animé des spéciaux sur Céline au Québec et à Toronto. J'étais devenue son intervieweuse officielle et j'obtenais tous les *scoops*. J'ai participé à tous ses lancements, jusqu'à l'album *Let's Talk About Love*. J'ai voyagé avec Céline et René à Paris, à Londres, à New York et à Los Angeles. Ils savaient qu'ils pouvaient me faire confiance en tout et pour tout. Après chaque entrevue, René me laissait un message pour me dire qu'il était fier de mon travail, que j'étais comme Barbara Walters, comme Oprah… Je gardais ses messages sur mon répondeur pendant des mois. Il n'y a pas grand-chose qui vous remonte autant le moral qu'un chaleureux compliment de René Angélil.

Je me rappelle deux spéciaux pour la télé que j'ai faits avec Céline à Las Vegas, pour la CBC et pour MusiMax. Je la revois, élégante comme toujours, dans une petite veste Chanel rose. Quand elle est arrivée pour l'entrevue, j'ai lu dans son visage qu'elle ne se sentait pas bien. J'ai tout arrêté et j'ai demandé à l'équipe technique de sortir. Je voulais lui parler de femme à femme. Elle s'est mise à pleurer tellement elle était fatiguée. Nous sommes restées là, toutes les deux, le temps qu'elle se repose un peu. Céline montre toujours beaucoup de respect pour les personnes avec qui elle travaille, et elle déteste faire attendre les gens, les équipes, mais je lui ai dit : « Relaxe un peu, ne t'en fais pas. » À cet instant, j'ai compris qu'elle avait besoin de l'ancrage d'une famille bien à elle. Malheureusement, je n'ai jamais eu la chance de rencontrer ses enfants.

Je me souviens d'une séance de magasinage aux Galeries Lafayette à Paris, avant qu'elle devienne une superstar en France. Je nous revois toutes les deux à la terrasse d'un café, en face du célèbre magasin parisien. Céline avait envie d'un café et d'une grosse «beurrée». Peu de gens la reconnaissaient ; nous étions comme deux collégiennes en vacances. Elle ne pourrait plus faire cela aujourd'hui ! Nous avons aussi mangé ensemble le meilleur des couscous, avec Luc Plamondon, Chez Roger avec des amis. Je n'oublierai jamais cette soirée-là.

J'ai bien connu la famille de Céline ainsi que celle de René. J'aimais beaucoup Adhémar Dion. J'aimais m'asseoir avec lui pendant des heures ; nous bavardions pendant que je lui tenais la main. J'adore maman Dion, une femme courageuse et audacieuse, qui n'a changé pour personne. Elle est venue à mon émission en même temps que les Bleu Poudre, des humoristes qui s'acharnaient sur elle à l'époque. Elle a bien profité de l'occasion pour les remettre à leur place. Il fallait voir ces trois forts en gueule se faire clouer le bec par la grande dame aux cheveux blancs.

Au sujet de Céline, que dire de plus que ce qui a déjà été dit ? Oui, elle est gentille ; oui, elle est attentionnée ; oui, elle est gracieuse ; oui, elle est humaine ; oui, elle possède un talent phénoménal. Mais la force de Céline, c'est René, et la force de René, c'est Céline. Ils forment un duo, sauf qu'il n'y a qu'une seule personne qui pousse la note. Il y a peu de choses aussi belles que de les regarder vivre et travailler ensemble, de voir comment il la protège. Quelle grande histoire d'amour ! Je me suis souvent demandé comment on se sent quand quelqu'un prend soin de nous comme René prend soin de Céline. J'imagine que c'est le rêve de toutes les femmes, même si les féministes vont me détester de penser cela.

Je m'estime féministe, mais je ne suis pas militante. Je ne suis pas en guerre contre les hommes, mais ayant connu des relations amoureuses qu'on pourrait décrire comme partiellement abusives, dont j'ai eu du mal à me sortir, je suis solidaire des femmes. Et je viens d'une famille de femmes fortes, authentiques et autonomes.

Quand Céline a décidé que le temps était venu de révéler son amour pour René au monde entier, c'est moi qu'elle a choisie pour annoncer la bonne nouvelle. C'était le soir du lancement de l'album *The Colour of My Love*, au Metropolis, à Montréal en 1993, une soirée que j'animais et que je n'oublierai jamais. Il avait été convenu que la nouvelle allait sortir ce soir-là, mais nous n'avions pas élaboré de scénario précis. Quand j'ai présenté la chanson-titre de l'album, j'ai lancé à Céline : « *The Colour of My Love* est beaucoup plus qu'une chanson-titre… Tu l'as choisie pour déclarer publiquement ton amour pour René Angélil, c'est ça ? » Céline et René se sont regardés tendrement, et Céline a dit « Ça me fait tout drôle » comme une petite fille timide. Le public a été conquis, et les applaudissements ont fusé. Le lendemain, il n'y a eu aucune voix discordante dans les médias. René craignait les réactions, pas pour lui, mais pour Céline. Plus tard, pendant le spectacle, je l'ai gentiment poussé vers Céline pendant qu'elle interprétait *The Colour of My Love*. Elle lui a tendu la main. Il l'a prise dans la sienne. René Angélil, le plus puissant impresario au monde, ressemblait à un adolescent amoureux, hésitant, nerveux. Il l'a enlacée. La foule était en délire. C'était magnifique.

Je ne vois plus Céline et René, mais je pense souvent à eux, toutes ces années de proximité et de complicité ne s'oublient pas comme ça. Je m'ennuie d'eux. Maintenant, c'est au tour de Céline de prendre soin de René, qui vit des épreuves de santé. Je sais qu'elle le fera merveilleusement bien. Nous nous sommes quittés sans nous dire adieu. Sans doute parce que nous allons nous revoir.

Je crois avoir tissé des liens du cœur avec Paul McCartney. À notre première rencontre, j'ai eu l'audace de lui demander s'il trouvait justifiées les critiques dithyrambiques qu'avaient reçues les Beatles à l'époque, si le groupe n'avait pas été un peu surestimé par la critique. Personne ne lui avait jamais posé une telle question, je l'ai vu dans son visage. Il m'a répondu sur un ton enjoué : « Quoi ? Mais non, pas du tout. Nous n'étions pas surestimés, mais sous-estimés ! » Sans aucun doute l'une des entrevues les plus mémorables de ma carrière, et pas seulement parce qu'il a été un Beatle et une icône de notre siècle. Sir Paul McCartney est un gentleman, qui répond à toutes les questions, même les plus sottes, comme si elles étaient les plus importantes au monde. Et Dieu sait que ces pauvres vedettes se font balancer des questions plus que stupides. Un jour, j'ai entendu une chroniqueuse de Radio-Canada demander en conférence de presse à Robert Plant de Led Zeppelin quelle était sa saveur de crème glacée préférée. Hello ? Quelle question ! Ça ne s'invente pas.

J'ai eu la chance de rencontrer sir Paul à plusieurs reprises, devant des foules, en présence de hordes de journalistes et en tête à tête. L'année suivant cette première entrevue, j'assistais à une énorme conférence de presse donnée par McCartney à Toronto, en compagnie de mon patron à MusiquePlus, Pierre Marchand. Pierre voulait que j'essaie d'attirer l'attention de Sir Paul, mais je ne travaille pas comme ça ; ce n'est pas mon genre. Je me suis levée en même temps que d'autres journalistes, espérant croiser son regard, et j'ai entendu : « *Hey, how are you ?* » C'était Paul McCartney. Je me suis retournée pour voir à qui il parlait, mais il a ajouté « Sonia ! » Il m'avait reconnue. J'ai pensé m'évanouir. Je lui ai répondu : « *Hi Paul, how are you ?* » Et puis j'ai posé une question, dont je ne me souviens plus. Tout le monde se demandait : «Mais qui est cette fille connue de Paul McCartney?» Je me suis tournée vers Pierre Marchand et je lui ai dit : «Je veux une augmentation.» Il a bien ri. Il m'arrive d'être dure avec moi-même, mais là, je l'avoue, je n'étais pas peu fière.

L'année suivante, McCartney rencontrait la presse nord-américaine à New York. Il ne devait y avoir qu'une seule entrevue accordée à un média canadien. Paul a souhaité que je la fasse.

J'ai vu Paul McCartney une dernière fois à Londres, après la mort de Linda. Je lui ai demandé comment il se sentait quand il écrivait des chansons d'amour pour sa nouvelle femme, Heather (maintenant son ex), lui qui n'avait écrit que pour Linda pendant vingt-cinq ans. Il m'a ouvert son cœur. C'était très touchant, mais j'étais triste en le quittant. Je suis très heureuse qu'il ait de nouveau trouvé l'amour avec Nancy Shevell.

Sting, que j'ai interviewé à plus d'une reprise, s'est aussi souvenu de moi à la suite de notre première rencontre, à MusiquePlus en 1988, pour la sortie de son deuxième album, *Nothing Like the Sun*. Peut-être parce que cette rencontre avait été désastreuse? Jamais auparavant je n'avais pleuré après une entrevue et ça ne m'est plus arrivé ensuite...

Il était arrivé deux heures et demie en retard. Il donnait l'impression de se ficher de tout le monde. Un gars au-dessus de ses affaires. Mais il était si beau, avec ses cheveux blonds, ses jeans serrés et son pull à 5 000 dollars... Moi, à côté de lui, je ne me trouvais pas tellement sophistiquée ce jour-là. J'ai commencé l'entrevue par ces mots : «Quand vous écoutez votre album...» Il m'a interrompue brusquement :

«Je n'écoute jamais mes albums.» Vous auriez dû voir son *body language*. Un tantinet sur la défensive…

Il venait de sortir une version abrégée de *Nothing Like the Sun* en espagnol, *Nada Como el Sol*. Il m'est donc venu l'idée de lui poser une question dans ma langue maternelle. Silence et malaise. Il a dû admettre qu'il ne parlait pas espagnol. Je lui ai alors demandé qui avait écrit les paroles des chansons. Sa réponse m'a choquée : «Roberto quelque chose.» Je me suis dit : «Wow, Roberto serait ravi de vous entendre.» Puis, tout à coup, il a changé d'attitude. Tout à coup, j'existais. Nous avons réalisé une bonne entrevue, mais Dieu qu'il était arrogant!

J'espérais l'interviewer bientôt de nouveau, mais j'ai attendu dix ans avant que l'occasion se représente. J'ai dû l'interviewer quatre ou cinq fois par la suite, dont une fois en direct, dans l'arrière-scène du Centre Bell, d'où je traduisais ses paroles simultanément. À présent, il me respectait.

Je l'aime, ce salopard! Je lui ai déjà demandé s'il se servait de sa facilité avec les mots pour cacher ses véritables sentiments. Il a fini par me confier des choses très intimes. Il m'a expliqué pourquoi il n'est pas allé aux funérailles de ses parents – il ne voulait pas être photographié –, une décision très critiquée à l'époque. Il m'a aussi avoué qu'au moment de notre première rencontre, quand il était au sommet de la gloire, il était en fait très malheureux. La célébrité à cette échelle pèse lourd. On se perd. Et puis, les gens ont le droit de connaître de mauvaises journées. Même les plus grandes stars. Dernièrement, Sting a annoncé qu'il ne laisserait pas son argent à ses enfants. Il va le dépenser avant de mourir. Oh oh, temps de faire une autre entrevue avec lui.

J'ai toujours entretenu un excellent rapport avec Sheryl Crow, que j'ai interviewée à maintes reprises et qui est venue chanter à mon émission. Je l'ai revue il y a quelques années à Toronto, mais cette fois, je l'ai trouvée distante.

Et nerveuse. En plein milieu de l'entrevue, le téléphone de mon réalisateur a sonné. Elle s'est mise dans une colère absolument exagérée. C'était à l'époque où elle sortait avec Lance Armstrong. Quelques jours après cette entrevue, elle annonçait leur séparation.

Je n'ai jamais interviewé Lance Armstrong, mais notre seule et unique rencontre m'a convaincue que cet homme se prenait pour Dieu sur terre. Armstrong devait venir à Montréal tenir une conférence privée. Je m'étais organisée pour qu'un jeune garçon de Sherbrooke puisse y assister, à la demande de ses parents. Félix souffrait du même cancer dont Armstrong avait été guéri ; lui qui n'avait que dix-neuf ans rêvait de le rencontrer et d'être photographié avec son idole.

Nous étions entassés dans une toute petite pièce dans un hôtel du centre-ville. Une quinzaine de jeunes can-céreux, dont Félix, étaient assis à une table. Armstrong a parlé pendant deux heures, puis il s'est levé et s'est dirigé vers la sortie, sans même aller les saluer. La mou-tarde m'est montée au nez. J'ai attrapé Félix par la main et je lui ai dit de me suivre. Un garde du corps a tenté de m'empêcher d'approcher Lance Armstrong, mais j'ai fixé ce dernier en lui disant : « Regardez-moi. Ce n'est pas pour moi que je vous interpelle ainsi, c'est pour Félix. Il a dix-neuf ans. Il souffre du même cancer que celui que vous avez combattu, et rien au monde ne lui ferait plus plaisir que d'avoir une photo de lui avec vous. » Comment pouvait-il refuser ? Il est resté figé, a balbutié « *Yeah, ok, you know…* » et il a fini par nous laisser prendre la photo. Félix est mort peu de temps après. J'ai écrit à son père pour lui dire que le vrai héros n'était pas Lance Armstrong, mais

Félix. Par la suite, le scandale du dopage a éclaté au grand jour.

Toutes les vedettes du sport ne sont pas comme Lance Armstrong, loin de là. Je pense à l'ancien quart-arrière vedette des Alouettes, Anthony Calvillo. Voilà un vrai gentleman. Il a connu Félix à la conférence d'Armstrong et s'est lié d'amitié avec lui. Quand Anthony, dont la femme a aussi souffert d'un cancer, est venu à *Benezra reçoit*, Félix lui a rendu un hommage surprise. J'ai appris par la suite qu'il avait assisté aux funérailles de Félix à Sherbrooke. Plus tard, Anthony Calvillo a lui aussi reçu un diagnostic de cancer de la glande thyroïde, dont il a été guéri, heureusement. Je ne connais pas grand-chose au football, mais je sais qu'Anthony Calvillo est considéré comme l'un des meilleurs quarts-arrières de tous les temps. Et c'est tout un homme.

La plus grande satisfaction qu'apporte un métier comme le mien est de pouvoir rencontrer des gens exceptionnels comme Calvillo, Céline, Lionel Ritchie, David Bowie et… Tina Turner, qui m'a confié en entrevue que je lui rappelais son amie Oprah… Il ne reste rien de ces moments très spéciaux, mis à part mes souvenirs. Les enregistrements ont disparu quand TQS a fermé ses portes. Qu'est-ce que je ne ferais pas pour mettre la main dessus… Si quelqu'un sait où ils se trouvent, faites-moi signe ! Je vous en serai très reconnaissante.

J'ai rarement demandé à être photographiée avec mes invités. Je n'ai même pas de photo de moi avec Barry White, mon idole de jeunesse, qui est venu chanter à mon émission. Je m'en mords les doigts. Je n'ai jamais demandé d'autographes non plus, sauf une fois : j'ai obtenu la signature de Paul McCartney pour ma sœur Kelly, folle des Beatles. Et, Dieu merci, il me reste une photo d'une de nos rencontres.

C'est un peu grâce à Tina Turner si j'ai réussi mon bout d'essai pour être embauchée à MusiquePlus. Quel être de compassion, de générosité et d'empathie, même si elle a dû attendre quarante-six ans pour connaître un succès bien à elle. La première fois que je l'ai interviewée, je lui ai dit en terminant : « Quand je vous regarde, aussi calme et posée, vous me faites penser à cette phrase fétiche que j'ai lue sur un t-shirt : *Work like you don't need the money, love like you've never been hurt and dance like nobody's watching.* » (« Travaille comme si tu n'avais pas besoin d'argent, aime comme si tu n'avais jamais souffert et danse comme si personne ne te regardait. ») Elle a pris ma main et elle m'a demandé d'écrire cette phrase sur un bout de papier. Je l'ai vue plier la feuille et la mettre délicatement dans son sac à main. Puis elle m'a dit : « Ne sois pas surprise si tu réentends un jour ces paroles. » Quelque temps après, on présente à la télé un spectacle de Tina Turner. Et qu'est-ce que j'entends ? Le maître de cérémonie qui lance : « *Ladies and gentlemen, work like you don't need the money, love like you've never been hurt and dance like nobody's watching: Tina Turner!* » J'en ai eu des frissons. Elle s'en était souvenue !

En parlant de choses qui ne s'oublient pas, je veux souligner que les patrons de la maison de production Coscient, responsable de mon talkshow à l'époque, Richard Laferrière, Laurent Gaudreau et André Provencher, m'ont toujours traitée avec beaucoup d'égards. Le grand manitou, Laurent Gaudreau, venait assister à l'émission plusieurs fois par semaine, pour son seul plaisir. J'ai été choyée, soutenue, encouragée. Pour la première fois, on prenait soin de moi. On m'amenait au restaurant. Je recevais des fleurs.

Je conduisais alors une vieille Ford Taurus achetée pendant mes années à MusiquePlus. Un soir, à la sortie des studios de TQS, je ne trouve plus mon auto. Panique totale. Je retourne vers la station pour demander qu'on appelle les policiers. Laurent Gaudreau, qui se tenait à l'entrée avec les autres, m'a dit :

« Woh, woh, woh, où as-tu garé ton auto ?

— Juste là, elle a disparu. »

À sa place, une petite Mercedes noire. À les voir tous si souriants, j'ai compris qu'ils l'avaient louée pour moi. Je n'aurais jamais eu l'audace de choisir une Mercedes. Ma voix intérieure m'aurait dit : « Tu te prends pour qui au juste ? » Surtout qu'à l'époque, si les animateurs de télévision gagnaient bien leur vie, les salaires ne se comparaient nullement aux normes d'aujourd'hui. Je l'ai conduite pendant douze ans, cette auto. Quand j'ai dû lui faire mes adieux après un accident, j'ai pleuré. Je sais que c'est ridicule, mais elle a symbolisé un peu ma vie, le fait que tout était possible.

J'ai toujours eu conscience d'être privilégiée. Il m'arrive souvent de lever les yeux au ciel et de dire *merci mon Dieu*. Même pour des choses aussi banales que de trouver un endroit pour me garer !

En 1996, j'ai été approchée par TVA pour animer un talkshow chez eux. Flatteur, oui, mais je me sentais redevable envers mes producteurs. J'ai accepté l'offre de TVA, mais à condition que l'émission soit produite par Zone 3 (Coscient avait changé de nom). Les responsables de

TVA ont refusé, car ils possédaient leur propre maison de production. J'ai donc décliné l'offre, par loyauté pour les producteurs qui m'avaient donné ma première chance sur un grand réseau. J'étais fidèle. TVA a offert le talkshow à Julie Snyder, qui est allée chercher Zone 3 pour produire *Le Poing J.* Une grosse leçon de vie !

Mon équipe a été dispersée et mon équilibre aussi. Je me suis payé la traite le soir de la dernière de mon émission. J'ai chanté *I Will Survive* en direct avec mes musiciens. Jean Airoldi m'avait habillée en diva du disco. Je me souviens que je portais des souliers argent de chez Browns. Je ne comprends toujours pas pourquoi TQS a mis la hache dans une émission qui obtenait de belles cotes d'écoute soir après soir, surtout par rapport au reste de la programmation. Peut-être était-ce l'arrivée d'une nouvelle patronne ? Les nouveaux patrons aiment créer leurs propres succès.

J'ai vécu des moments difficiles, mais je gardais ma bonne humeur en public. Je ne voulais pas parler de ma déception. Et puis TQS m'avait offert d'animer des spéciaux sur des personnalités de premier plan, ainsi qu'une émission de variétés le dimanche soir, mais sans les entrevues, qui sont ma plus grande force. La partie talkshow a été refilée à Guy A. Lepage et rebaptisée *Besoin d'amour.*

Pourtant, en fin de compte, il n'y a qu'un dénominateur commun à ces revers : moi. Comme je cherche toujours ce qu'il y a de positif dans toutes les expériences de la vie, j'ai profité de ce moment pour me remettre en question, ce qui est loin d'être une mauvaise chose. Je me suis souvent demandé si mon étoile n'avait pas commencé à pâlir après le mini-scandale que j'ai provoqué à l'ADISQ en 1995. J'avais pris comme une gifle le commentaire post-référendaire de Jacques Parizeau qui accusait l'argent et le vote ethnique d'être responsables de la défaite du Oui.

J'étais une des rares « ethniques » à la télévision à cette époque, avec Normand Brathwaite. Bien des gens me voyaient comme l'immigrante de service, même si je suis née à Montréal. Je ne me sentais pas visée personnellement par les propos de Parizeau, mais j'ai eu mal pour mes parents et pour tous les immigrants qui travaillent fort afin de faire leur place au soleil.

Cette année-là, à l'ADISQ, des artistes y sont allés de leur commentaire politique, du genre : « L'année prochaine, on va l'avoir, notre pays. » Je devais présenter le Félix de l'artiste de l'année selon le vote populaire. Je ne sais pas trop ce qui m'a prise, mais une fois sur scène, j'ai dit : « Bonsoir, mesdames et messieurs. Je suis ravie d'être ici avec vous ce soir. Je suis très heureuse de présenter le trophée pour l'artiste féminine de l'année pour qui vous avez voté. » Et j'ai ajouté sur un ton enjoué : « En passant, le vote ethnique est inclus. » Le commanditaire qui m'accompagnait sur scène m'a regardée, ahuri. Dans la salle, le silence... puis des applaudissements très lents se sont fait entendre. Un moment que je ne voudrais pas revivre.

Quand je suis rentrée à la maison, ma famille m'a passé tout un savon. « Es-tu folle ? Tu pourrais te faire tuer ! » N'exagérons rien, direz-vous, mais le fait est qu'après ce gala j'ai reçu des menaces de mort et du courrier haineux. « Retourne dans ton pays. Tu prends notre argent. Ça ne t'appartient pas. » J'ai même dû appeler la police.

J'ai téléphoné à chaque personne qui m'a écrit : « Est-ce que je peux parler à Mme Unetelle ? Oui ? C'est Sonia Benezra. Oui, oui, c'est vraiment moi. J'ai votre lettre devant les yeux. Je voulais juste vous dire que mes commentaires n'étaient pas de nature politique, mais humaine. En tant que fille d'immigrants, je voulais parler au nom de tous ceux qui n'ont pas de voix. Je l'ai fait pour mon père qui a immigré dans ce pays, parce que moi, voyez-vous, je suis née ici. » Beaucoup n'avaient pas signé leurs lettres, mais j'ai rejoint tous ceux qui s'étaient identifiés.

On ne m'a jamais redemandé de présenter un trophée à l'ADISQ.

MusiquePlus m'a fait découvrir à quel point j'aime faire de la télévision, surtout en direct. J'adorerais avoir encore une émission bien à moi, mais il paraît qu'à mon âge, j'ai déjà fait le tour ! On a même dit à mon agent que je devrais déménager à Toronto ou à New York... Je me demande si on aurait osé dire une chose pareille à Oprah Winfrey ou à Barbara Walters. C'est le genre de choses auxquelles les hommes sont moins exposés que les femmes ; les anima-teurs ont le droit de vieillir devant le public. Je sais que le débat n'est pas nouveau et je prends cela avec humour. Vous connaissez la blague : « Les femmes qui veulent l'éga-lité avec les hommes ont peu d'ambition. »

Après la fin de mon talkshow, en 1996, certaines per-sonnes du milieu ont cherché à me faire comprendre que mes belles années professionnelles étaient derrière moi. Je trouve triste que des gens se donnent autant de pou-voir sur la vie des autres. Personne ne sait ce qui nous attend. Je pense à Tina Turner, à qui je dois en partie mon embauche à MusiquePlus, mon artiste fétiche, qui a fait un retour spectaculaire à l'âge de quarante-six ans, alors que le show-business avait décidé qu'elle avait fait son dernier tour de piste. Grosse erreur.

Je persiste à croire que le meilleur reste à venir. Que je vais revenir, plus forte que jamais. En fait, je ne suis jamais partie. Je suis là, toujours là, bien vivante, créative comme jamais, depuis vingt-huit ans. Je suis fière de ma carrière. De mes succès. Je sais que le public m'aime : tous les jours, dans la rue, dans les magasins, les gens me disent qu'ils s'ennuient de moi et qu'ils ont hâte de me revoir à la télévision.

La télé a la réputation, tristement méritée, d'offrir un milieu de travail très dur à ses artisans. On se donne bonne conscience – « C'est comme ça, c'est le show-business » –, mais c'est trop facile de mettre la faute sur le milieu. Le milieu, ce sont les gens qui le composent. Au début de ma carrière, je leur ai accordé trop de pouvoir sur ma vie. J'étais bien contente de leur en laisser une partie, car je savais bien peu de choses. Un jour, on te porte aux nues. Le lendemain, on te met à la poubelle. Sans explications. Même si le public te réclame encore, même quand ton émission a beaucoup de succès. C'est comme ça. Mais j'ai survécu au show-business. Comme tout le monde, j'ai connu des hauts et des bas. Mais j'ai appris à rebondir et à cacher mes déceptions…

Mais…

Lettre à
Sonia Benezra

● **Ma belle Sonia, je t'ai vue cette semaine à la télé, dans ton spécial Corey Hart. Ça m'a incitée à te dire ce que je pensais depuis longtemps de toi et de ce médium qu'est la télévision, où nous nous sommes connues.**

Que t'est-il arrivé, ma belle ? Quand je te rencontre, tu me dis que ça va bien, mais je ne suis pas dupe. Tu a l'air triste. Si on gratte un peu plus, les larmes ne sont jamais bien loin. Pourtant tu es forte, Sonia, tu l'as toujours été.

Je me souviens du temps où on travaillait ensemble. C'était toujours toi le clown qui venait nous faire rire, même si t'abattais plus de boulot que nous tous réunis.

Je t'ai vue quelques fois réprimer un sanglot en cachette, serrer les dents, relever la tête et attaquer le travail qui restait à faire avec rigueur.

MARIE PLOURDE

Le respect des artistes

Il n'y a pas d'invités *plates*, il n'y a que de mauvais interviewers. C'est toi qui me l'as appris. Ça, et le respect des artistes. Même si on n'aime pas toujours leur travail, ils ont souvent mis toute une vie pour en arriver là. Ça met les choses en perspective ça, madame.

Pas étonnant que les ligues majeures soient venues te chercher. Tu ne l'avais pas volé.

En moins de temps qu'il n'en faut pour le dire, tu es devenue une vraie star. Que dis-je, une reine ! Et ce, sans piétiner personne sur ton passage. Tu as su dépoussiérer la vieille formule du *talk-show* et tout le monde a été séduit par ta chaleur.

Ils t'ont portée aux nues l'espace de quelques saisons. Plusieurs MétroStars plus tard, quand l'audimat a commencé à fléchir, ils t'ont laissée tomber.

Du quotidien, tu es passée à l'hebdomadaire et, là, ce fut la débandade. On t'a placée le dimanche, on t'a mise le samedi, on t'a changée de case dans l'horaire sans même t'avertir pour te remplacer par l'immonde Jean-Marc Parent. Malgré tout, tu as toujours gardé la tête haute.

Finalement, te voici cette saison avec quelques spéciaux en poche. On pourra les voir sporadiquement pendant l'année. Là encore, on ne te laisse pas grand chance.

On te diffuse en même temps que *Les Héritiers Duval* et l'insipide *Place Melrose* qui enregistrent, chacun de leur coté, au-delà de un million ou presque aux cotes d'écoute. Il ne te reste plus beaucoup monde.

Ce n'est pas ta faute

Je sais que tu te poses mille questions, mais dis-toi bien que ce n'est pas ta faute.

Tu es bonne, Sonia. Le talent, ça ne disparaît pas. Tu nous l'as encore prouvé cette semaine. Ton spécial était bon. On retrouvait cette sincérité qui te caractérise tant. Jamais Corey Hart n'aurait pu s'ouvrir comme il l'a fait devant quelqu'un d'autre, surtout en français, une langue qui n'est ni la sienne ni la tienne.

Il y a bien eu quelques petits instants cucul, comme la petite famille qui marche sur le bord de la mer au soleil couchant, mais tu me connais, je n'ai jamais eu ce romantisme-là.

L'important, c'est que Corey Hart t'ait vraiment fait confiance et qu'il se soit ouvert. Ces moments de grâce se font de plus en plus rares au petit écran.

La télé est devenue une bouffeuse de vedettes, Sonia. Elle a plus d'égard pour les cotes d'écoute que pour ses artisans. Le mot rentabilité a remplacé le mot qualité.

Parler d'acné

Ça coûte bien moins cher de parler d'acné sur une scène pendant deux heures que de présenter de bonnes entrevues, bien senties et bien réalisées. Les longues carrières se font de plus en plus rares, les bons interviewers aussi.

De toute façon, t'as vu ce qu'on appelle maintenant des entrevues à la télé : « Salut, t'as un nouveau disque, ha ! ha ! ha ! merci d'être venu, c'était ben l'*fun* ».

Faut pas prendre les téléspectateurs pour des épais. On peut se concentrer plus de 30 secondes sans que le cerveau nous explose. Comme si le principal était de montrer le plus grand nombre de vedettes en le moins de temps possible.

Les télés répètent sans cesse aux créateurs d'émissions qu'il faut être « masse ». Et être « masse », pour eux, c'est faire de la saucisse ; ça ne coûte pas cher et c'est pas compliqué à manger. C'est un constat dur et décourageant, mais c'est ce qui arrive quand la création couche avec les ventes. Encore une chance qu'il reste des exceptions, ça donne espoir.

C'était bon de voir ta grosse crinière dans mon salon et tu peux être sûre que je serai au poste mardi prochain. Ah ! oui, je voulais te dire aussi : même si on n'a plus la chance de se croiser, je t'aime fort, ma belle Sonia : t'es bonne.

Hasta la próxima.

Chapitre 5

L'amour dans tout cela...

Au sommet de ma popularité, un animateur québécois de grand renom, mais qu'on ne voit plus à la télé, et dont je tairai le nom par respect pour son illustre carrière, m'a dit : « Regarde ce qu'on m'a fait. On m'a mis de côté, du jour au lendemain, sans explication. C'est ça, le milieu. Un jour, ils vont te faire la même chose. » Sur le coup, j'ai été choquée par ses paroles. J'ai mis du temps à comprendre que ce que j'avais pris pour de la méchanceté n'était en réalité qu'une mise en garde de la part de quelqu'un qui avait été largué par le show-business. Il était devenu amer.

Et puis, la même chose m'est arrivée. Personnellement, j'ai peut-être échappé à l'amertume, mais pas à l'immense peine. Il n'existe pas de cours pour apprendre à vivre avec le statut de vedette ou à gérer le retour à la vie normale. Comment agir, comment répondre aux questions des gens, surtout quand on nous demande : « Pourquoi on ne vous voit plus ? » Que dire aux personnes du milieu qui suggèrent à votre agent : « Peut-être serait-il temps pour elle de déménager à Toronto pour qu'elle fasse sa carrière ailleurs. »

Le public québécois ne m'a jamais abandonnée, les artistes non plus. Ils aiment être interviewés par moi, ils me le disent encore. J'ai reçu tellement de témoignages d'appréciation au fil des ans, des trucs vraiment incroyables ! Je suis une bonne intervieweuse et je le sais ; personne ne peut m'ôter cela. N'empêche qu'en 1997, quand mon talkshow a été retiré de l'antenne, moins d'un an après que j'ai été choisie Personnalité féminine de l'année au gala MetroStar, des gens de l'industrie ont voulu me faire comprendre que mon heure de gloire était passée. J'avais trente-sept ans. Les animateurs de télé craignent le jour où plus personne n'écoutera leur émission ; moi, j'ai plutôt peur quand les choses vont trop bien !

Quand j'ai quitté TQS, j'ai eu l'impression de tomber dans un trou noir. J'ai cru que c'était la fin de tout. Pierre Marchand et Moses Znaimer, mon mentor et mon ami, sont venus à ma rescousse et ont fait de moi le visage de MusiMax, la nouvelle station de musique « adulte contemporain ». Il va sans dire que j'ai ressenti de la gratitude, mais quelle dégringolade ! Retour à une époque où je devais travailler dans des studios exigus, sans recherchiste, sans coiffeur ni maquilleur, sans moyens. Je me revois, le soir de l'inauguration de la station, le 8 septembre 1997, avec ma robe longue qui traînait dans la poussière. Que ce métier peut être ingrat !

Cette partie de ma vie a été difficile professionnellement, et aussi sur le plan personnel. J'ai beaucoup aimé un homme, mais il m'a fait mal. Je vais l'appeler Le Britannique. J'ai l'impression de lui donner trop d'importance en vous en parlant ; pourtant, il fait partie de mon histoire.

Je l'ai rencontré à trente-sept ans, juste un peu avant le retrait de mon émission à TQS. Une amie de ma sœur m'avait organisé une *blind date,* sans m'en avertir et lui avait donné mon numéro de téléphone. Quand je suis rentrée à la maison, après un voyage à Paris avec Ginette Reno, j'ai trouvé un mystérieux message sur ma boîte vocale, laissé par une belle voix d'homme à l'accent britannique. J'ai cru que c'était un mauvais numéro, et je n'ai pas rappelé.

Il est revenu à la charge, et, cette fois, j'étais là pour prendre l'appel. Nous avons bavardé un bon moment, mais je n'avais pas l'intention de le rencontrer. Il vivait à Londres, et j'avais déjà vécu une histoire d'amour à distance avec un Israélien. Disons que je n'ai pas montré beaucoup d'enthousiasme. Mais, un mois plus tard, il m'a téléphoné pour m'annoncer qu'il partait en voyage d'affaires au Japon et qu'il aimerait bien s'arrêter à Montréal, en cours de route, pour me rencontrer.

Notre premier week-end ensemble a été idyllique. J'étais persuadée d'avoir rencontré mon âme sœur, et lui aussi. Dans la culture juive, nous croyons qu'il y a des âmes qui sont destinées à se compléter. On appelle cela un *beshert* en hébreu. Je pensais que Le Britannique était mon *beshert.* Le mot anglais *bullshit* serait plus approprié.

Il avait six ans de plus que moi. La communauté juive irakienne est tricotée serrée, très traditionnelle. J'aimais son petit côté vieux jeu. Il était pratiquant. Pas orthodoxe, mais il respectait le shabbat et les fêtes, et il allait à la synagogue. Le genre de personne qui croit aux valeurs traditionnelles, au mariage. Il avait deux fils d'une première union, dont il avait la garde. J'aimais beaucoup ses enfants, le plus vieux surtout.

Nos vies ont commencé à s'entremêler. Il venait souvent à Montréal. Ma famille l'adorait, sauf ma mère, qui, dès le départ, a vu en lui des choses que j'ai mis des années à percevoir. Je lui ai présenté mon rabbin et nous allions à la synagogue ensemble. J'aimais son accent, son côté *british*. Ses magnifiques yeux bleus. Ses manières. J'étais envoûtée.

J'allais régulièrement lui rendre visite à Londres. Il travaillait dans le secteur financier. Il avait déjà été riche mais avait tout perdu. Un jour, il m'a emmenée voir la maison où il habitait autrefois pour me prouver qu'il avait déjà eu beaucoup d'argent. C'était très dur pour lui. Il avait perdu sa fortune, ainsi que sa femme, qui souffrait de dépression majeure. Il habitait Kensington, un quartier huppé de Londres, mais son appartement était en piètre état. Il employait une domestique philippine, Lina, une femme très gentille que j'aimais beaucoup. Quand j'achetais des cadeaux pour les fils du Britannique, je ramenais toujours quelque chose pour les enfants de Lina restés aux Philippines. Lui, il ignorait tout de la vie de cette femme. Je l'ai convaincu de lui offrir un billet d'avion pour les Philippines, pour qu'elle puisse aller voir ses enfants, en remerciement pour ses six années de loyaux services. Comment peut-on vivre avec quelqu'un si longtemps et tout ignorer de sa vie? Quand j'y repense, je me dis que j'aurais dû y voir le signe d'un grand égocentrisme, mais j'ai préféré faire taire ma petite voix intérieure.

Quand nous nous quittions à l'aéroport, il pleurait. Par contre, quand il vivait des moments difficiles avec son ex-femme ou quand il était stressé, il avait tendance à s'en prendre à moi. Pas physiquement, psychologiquement. Sa famille ne ressemblait pas du tout à la mienne. Ils étaient plus réservés et vieille école. Nous aussi sommes tissées serré, mais dans sa communauté et dans sa famille, il valait mieux non seulement être juif, mais être juif d'Iraq ou de Syrie.

Le Britannique était très centré sur lui-même. Quand il venait à Montréal et que des gens me reconnaissaient dans la rue, il leur disait «à la blague»: «Et moi, je n'existe pas?» J'ai tout de même continué cette relation, car je l'aimais et je croyais que notre relation finirait par trouver son équilibre.

Une année, je suis allée dans sa famille célébrer Rosh Hashana, le Nouvel An juif, suivi dix jours plus tard du Yom Kippour, jour du Grand Pardon, le jour le plus saint du calendrier hébraïque, qui est un jour de jeûne complet. À la fin de la journée, sa nièce m'a demandé : « Comment a été ton jeûne ? » J'ai répondu qu'il avait été facile. Elle a répliqué : « Eh bien, tu devrais jeûner plus souvent. » J'étais stupéfaite. Le Britannique n'a pas réagi. Il n'a pas volé à ma défense. J'étais humiliée. Je n'étais pas grosse, à peine plus ronde qu'aujourd'hui. Et même si j'avais porté des kilos en trop, ça ne se dit pas des choses comme ça, et encore moins devant toute la famille.

Mon père nous répétait que faire exprès d'humilier quelqu'un constitue le plus grand « péché » qui soit. J'ai pensé à lui à ce moment précis : si seulement il avait pu être là pour me protéger. L'homme que j'aimais, lui, n'avait pas su le faire. Une fois en tête à tête, nous nous sommes querellés comme jamais. L'intensité de ma colère m'a révélé des côtés de moi-même dont je ne soupçonnais pas l'existence et que je n'aimais guère : « Tu ne m'as pas défendue, tu n'es pas venu à mon secours. Je suis seule parmi des étrangers, et tu m'as abandonnée à mon humiliation. » À vrai dire, ce n'était pas la première fois que je remarquais son manque de générosité envers moi et envers les autres. Mais quand on est amoureuse, on ne retient bien que ce que l'on veut retenir.

Nous nous sommes plus ou moins réconciliés. Nous avons fait semblant. Deux jours plus tard, je suis rentrée à Montréal. Je ne lui ai pas téléphoné tout de suite, pensant qu'il allait donner signe de vie. Une semaine, deux semaines, trois semaines se sont écoulées. Je me sentais de plus en plus malade, je perdais du poids à vue d'œil. Sa nièce m'aurait trouvé belle. Ma famille commençait à s'inquiéter. Mes sœurs, qui se sentaient proches de lui, ne comprenaient pas ce silence prolongé. Au bout de quatre semaines et demie, j'ai pris mon courage à deux mains et je lui ai téléphoné. Il m'a dit, comme si de rien n'était : « Bonjour, comment vas-tu ? Comme c'est gentil de ta part de me donner de tes nouvelles. » Il me parlait comme si j'étais une étrangère. Je lui ai répondu : « Je suis étonnée de ne pas avoir eu de tes nouvelles. » Froidement, il a lâché : « Nous n'avons plus vraiment de plaisir ensemble ; en ce qui me concerne, c'est terminé entre nous. Je vois quelqu'un d'autre. »

Deux ans et demi, nos plans de mariage, nos espoirs de vie commune, tout s'écroulait. J'avais l'impression de recevoir un coup de poing dans l'estomac. Je n'ai pas pleuré sur le coup : « Tu me dois au moins une explication », ai-je rétorqué. « Je ne te dois rien du tout. Il faut que j'y aille. Bonne chance ! » Et il a raccroché. Je suis restée là, le téléphone à la main, à écouter la tonalité pendant une bonne demi-heure, sinon plus. J'étais seule chez moi, Dieu merci. Pourtant, ma douleur était si grande que je ne pouvais pas la dissimuler. Je n'aime pas inquiéter ma mère, mais cette fois, elle a compris que je vivais un drame.

Le Britannique et moi, nous ne nous sommes plus jamais reparlé. Au début, j'ai pensé qu'il allait me rappeler. J'adorais ses enfants, j'avais pris soin de lui. Il était croyant et pratiquant, ce qui m'avait convaincue que j'avais affaire à quelqu'un de sincère, quelqu'un de bon. L'habit ne fait pas le moine.

J'avais quarante ans quand il m'a quittée. J'ai mis deux ans et demi à reprendre mes esprits, à guérir mon cœur et à rafistoler mon orgueil. Cette rupture brutale m'a plongée dans une dépression profonde. Je pleurais constamment. Pas tellement sur lui, mais sur ce que cette relation représentait pour moi : une dernière chance d'avoir des enfants.

Au même moment, TVA m'a offert d'animer un quiz, *Métropoli$, la cité du million,* une mégaproduction à l'américaine. Je ne suis pas une fervente des quiz, mais cette offre me permettait de faire enfin mon entrée à TVA par la grande porte. J'ai donc accepté. Malgré cette chance, je ne me sentais pas bien. Je pleurais tous les jours en allant au travail, et tous les jours en rentrant du travail. Manon Côté, qui me coiffait depuis l'époque de TQS, m'écoutait patiemment. Je pleurais pendant qu'elle s'occupait de ma tignasse. Pauvre Manon, qui est devenue une grande amie, elle m'a vue sous tous les angles : Sonia tout en haut, Sonia tout en bas. J'avais signé un contrat de deux ans avec TVA, mais le quiz a été retiré de l'horaire après une seule saison ; les règles du jeu étaient trop compliquées. N'empêche, j'ai quand même eu le bonheur de donner le gros lot de 1 000 000 dollars à deux personnes !

Un an après ma séparation du Britannique, ma sœur Esther est partie travailler en Angleterre. Cette année-là, j'ai emmené ma mère à Londres pour le Yom Kippour. J'étais malade à l'idée d'y mettre à nouveau les pieds, mais ma mère n'y serait jamais allée toute seule. Deux semaines avant notre départ, Esther m'a téléphoné pour me mettre en garde. « Es-tu certaine de vouloir venir ? Si jamais tu le croises dans la communauté, il se peut que tu ressentes un malaise. » J'ai répondu sans trop y penser : « Ben voyons ! Il est marié ? » Elle a dit oui. La blessure, qui commençait à peine à se cicatriser, s'est rouverte toute grande. Moins d'un an après notre rupture, il était déjà marié !

Ma sœur aime étudier la Torah, la Bible juive. Elle assistait à un cours de Torah quand il est arrivé avec sa nouvelle épouse. Il ne savait pas qu'Esther vivait à Londres ; j'imagine sa surprise de la voir là. Dix ans plus tard, Esther et mon beau-frère Ron ont reçu un courriel de lui leur demandant s'ils acceptaient de recevoir des envois liés à la finance. Comme ça, sans avertissement. Personne n'a répondu à son envoi.

Les années qui ont suivi ma séparation m'ont mise dans un tel état ! Lors d'un de mes nombreux voyages à Los Angeles pour le tournage de *Famous Homes and Hideaways*, dont j'animais la version française *Maisons de rêve*, je me suis évanouie au comptoir d'Air Canada. Je connaissais tous les employés. Quand j'ai repris mes sens, ils ne voulaient pas me laisser voyager. Je pleurais et je les suppliais de me laisser partir, expliquant qu'on m'attendait là-bas pour tourner une émission. J'avais perdu mon amoureux, je n'allais pas perdre mon travail en plus ! Je n'oublierai jamais cet employé, si gentil, qui m'a offert une orange. Je me sentais incapable d'avaler quoi que ce soit, mais je l'ai mangée quand même, sachant que c'était la seule façon de les convaincre de me laisser monter à bord.

À la suggestion de mon médecin de famille, j'ai accepté de consulter une thérapeute. Je ne peux dire que mes quelques séances avec elle ont donné des résultats concrets – je trouve plus de réconfort auprès de mes proches –, mais elle m'a fait comprendre que Le Britannique était un imposteur.

Un jour, en me regardant dans le miroir, j'ai vu la douleur inscrite sur mon visage ; je ne me ressemblais plus. Il fallait que cela cesse, je me torturais pour rien. J'ai décidé de reprendre ma vie en main. Une journée à la fois, je me suis libérée de son emprise. J'ai fait des efforts conscients pour ne plus penser à lui. Je me félicitais chaque fois que je pensais… que je n'y pensais plus. Le médecin m'a prescrit un antidépresseur à faible dose qui m'a aidée. Et le temps a fini par faire son œuvre.

En vingt-sept ans de carrière, j'ai très peu parlé de ma vie privée dans les médias, sauf quand je me suis laissé convaincre de parler de ma relation avec Le Britannique au magazine *Le Lundi*. À la une, j'ai déclaré : « C'est l'amour de ma vie. » Nous avions pris des photos au Mont-Tremblant avec ses enfants. Quand le magazine est sorti, il s'est plaint de la taille de sa photo à la une parce qu'elle occupait moins d'espace que la mienne ! La prochaine fois que je vais tomber amoureuse, je vais y penser deux fois avant d'en parler. Non, trois fois.

Je ne suis pas une dépendante affective, mais quand j'aime, j'aime beaucoup et fort. Ma mère me dit toujours que personne ne serre quelqu'un dans ses bras comme moi. Quand je l'ai connu à MusiquePlus, Claude Rajotte était pétrifié par mes câlins et mes bisous amicaux. Interviewé pour l'émission *Musicographie* qu'on m'a consacrée, il a dit que je lui ai enseigné à toucher les gens. Peut-être trouverais-je un jour quelqu'un qui saura m'étreindre comme j'étreins.

Le Britannique m'a plaquée quelques mois après mon quarantième anniversaire, ce qui a donné le ton pour ma quarantaine. Je préfère de loin la cinquantaine, croyez-moi. Je suis toujours célibataire, mais je ne suis ni malheureuse ni désespérée. Je vais peut-être rester célibataire toute ma vie, mais cela ne signifie pas que je souffre de solitude. Je suis convaincue que le meilleur reste à venir.

Il m'arrive parfois de me demander : « Si j'étais devenue avocate, serais-je mariée, aurais-je des enfants aujourd'hui ? La célébrité a-t-elle joué contre moi ? »

Je n'ai pas eu d'enfants, mais je suis très proche de mes deux nièces, Alexandra et Chloé, et de mes deux neveux, Jesse et Shane. Leur présence me comble de bonheur. J'adore que mes nièces viennent dormir à la maison ; nous nous amusons comme des adolescentes. Nous allons au restaurant, au cinéma. Nous aimons dévaliser les magasins ensemble. Alexandra m'a déjà dit : « Tu vas me trouver égoïste, ne sois pas fâchée, mais nous sommes chanceux que tu n'aies jamais eu d'enfants. Si tu avais été une mère, nous n'aurions pas pu t'avoir à nous tous seuls. » Fâchée ? J'étais tellement touchée… Ils sont les enfants que je n'ai pas eus.

Tous les ans, ma sœur Esther et moi recevons des cadeaux et des cartes de leur part pour souligner la fête des Mères.

Mon neveu Jesse est né le 25 décembre. Je ne célèbre pas Noël, mais célébrer son anniversaire en famille avec faste me permet de passer, moi aussi, un beau temps des fêtes.

L'amitié joue une grande place dans ma vie. Je n'ai pas des tas d'amies ; je n'ai que de vraies amies. J'ai déjà parlé de ma meilleure amie, Eliane Elbaz, et il y a aussi Marie-Claude Geoffrion que j'ai connue à MusiquePlus. Quand je pense à tout le soutien et à tout l'amour qu'elles m'ont donnés pendant ces années difficiles… Je suis convaincue que c'est cela l'amitié. Jamais je n'ai entendu : « Ramasse-toi, y'é temps, tsé… » Eliane m'appelait tous les matins, tous les midis. Dix fois par jour. Marie-Claude aussi. Elles se faisaient du souci pour moi. Comme mes sœurs et ma mère. Bien sûr, il y a aussi mes fans, toujours fidèles, mais pour mes amis – je pense à Terry, Linda, Simona et Vince, Suzanne et Rocky, et à Manon Côté –, je ne suis pas la fille de la télé, je suis une femme comme les autres. Oui, j'ai traversé un petit enfer dans ces années-là, mais le travail m'a toujours sauvée.

J'ai aussi croisé des anges sur mon chemin. Je devais interviewer Leonard Cohen dans un hôtel de Montréal, pour *Duo Benezra*. Nous avions convenu que l'entrevue allait durer vingt-cinq minutes. L'entretien se déroulait si rondement que Cohen a voulu continuer au-delà du temps prévu. Je n'allais pas dire non. Pendant que mon cameraman insérait une nouvelle cassette, Leonard Cohen a mis sa main sur mon genou et m'a dit :

« Je ressens votre douleur.

— Pardon ? »

Il s'est penché vers moi et il a murmuré : « J'ai dit, je ressens votre peine. » J'en ai eu des frissons. Il savait que j'étais au bord des larmes, mais il m'a donné la force de me retenir assez longtemps pour terminer l'entrevue. Je lui ai posé deux ou trois questions de plus. Quand tout a été terminé, il m'a dit : « Laissez-moi vous raccompagner jusqu'à l'ascenseur. » J'étais sans mots. En me quittant, il a répété : « Nous allons nous revoir. Vous irez mieux. » Et il m'a donné un câlin. J'ai eu l'immense privilège de le revoir à quelques reprises. Je n'ai jamais oublié sa sollicitude à mon égard quand je me trouvais au fond du baril de ma plus grande peine d'amour. « *I'm your man...* »

J'ai toujours rêvé d'une grande carrière américaine, je ne m'en suis jamais cachée. Les gens pensaient que j'aurais préféré travailler à Toronto. Pas du tout. Pour moi, c'était New York, Chicago, Los Angeles ou Montréal. J'étais représentée par l'agence Creative Artists Management (CAM), celle de Barbra Streisand et de Tom Cruise.

Des producteurs des États-Unis et du Canada anglais sont venus me voir travailler à Montréal. Ils n'en revenaient pas que je livre mes textes sans l'aide d'un télésouffleur, ce machin qui permet à un animateur de lire un texte qui défile sur un écran placé sous la caméra sans que le téléspectateur soupçonne quoi que ce soit. À peu près tout le monde utilise un télésouffleur, sauf moi. C'est la norme, mais on avait oublié de me le dire. Je ne m'en suis jamais servie pendant mes émissions.

Non seulement je ne me servais pas d'un télésouffleur, mais j'écrivais mes propres textes en français. *Thank you very much !* Du jamais vu hors Québec. Sans parler de ma facilité à traduire mes entrevues en direct. J'ai réussi à impressionner bien des professionnels américains qui en avaient pourtant vu d'autres, dont ceux de l'équipe de Dick Clark et ceux de l'équipe de Merv Griffin, deux personnalités de premier plan dans l'histoire de la télévision américaine.

Pendant que je travaillais au Québec, j'ai quand même pris le temps d'aller plusieurs fois à Los Angeles avec mon agent Barry Garber. J'ai reçu des offres, plusieurs offres, mais rien n'a jamais abouti. DreamWorks, la maison de production de Steven Spielberg, m'a offert un contrat de cinq ans pour animer un quiz aux États-Unis. Je l'ai déjà dit, je n'aime pas vraiment les quiz, et les conditions étaient suicidaires pour une nouvelle venue dans le paysage américain. Imaginez : on m'interdisait de travailler ailleurs tant que je serais sous contrat dans l'éventualité où l'émission serait annulée avant les cinq années prévues. J'ai dû refuser, je ne pouvais prendre un tel risque. En passant, le quiz n'a pas marché.

C'était l'âge d'or des *celebrities*, avant que la vague de la téléréalité change les règles du jeu. Pour devenir célèbre, il fallait déjà l'être. Comme je n'étais pas un visage familier à la télé américaine, on m'a proposé de coanimer des émissions avec des gens connus, notamment avec Donny Osmond, une de mes idoles de jeunesse. J'étais très excitée par cette idée, mais ça n'a pas fonctionné; les producteurs craignaient que ma personnalité éclipse celle de la star. L'année suivante, Osmond a fait un retour à la télé avec sa sœur Marie comme coanimatrice.

Il a également été question d'un projet d'émission avec l'ex-joueur de football Terry Bradshaw, le quart-arrière des Steelers de Pittsburgh devenu animateur à la télé, mais ce projet a fini lui aussi en queue de poisson.

Parfois, j'ai été naïve. Jane Sparango, une prestigieuse dépisteuse de talent d'Hollywood, est venue me rencontrer à Montréal. Elle avait visionné mes cassettes et croyait en mon potentiel. Nous avons déjeuné ensemble à la manière des gens d'Hollywood : un lunch de trois heures dans la salle à manger d'un hôtel de luxe. Je me sentais bien. Je savais que je n'avais pas besoin de me mettre en valeur, elle était déjà convaincue. J'ai signé une entente de développement de deux ans avec Jane de Team Entertainment. Ce genre d'entente permet à un producteur de « réserver » une personnalité le temps de lui créer un concept d'émission et de vendre un forfait clé en main à un réseau de télévision. J'ai été présentée aux représentants du groupe Tribune de Chicago, propriétaire du quotidien *The Chicago Tribune* et d'une cinquantaine de stations de télé aux États-Unis. La grosse machine américaine s'est mise à mon service. Je suis allée passer deux semaines à Los Angeles. J'ai participé à des tonnes de réunions avec des gens de Tribune. Puis, un jour, on m'a envoyée à Chicago rencontrer le grand patron de l'entreprise, celui à qui revenait la décision en ce qui me concernait. Pendant que je traversais l'aéroport de Chicago O'Hare, j'ai pensé à Oprah qui foulait le sol de cette aérogare toutes les semaines; ça m'a donné des ailes. La rencontre s'est bien passée et j'étais très optimiste. Encore une fois, j'étais persuadée que ma vie allait changer. Je suis tombée à la renverse quand mon agent, Barry Garber, m'a appelée pour me lire la lettre qu'il avait reçue du groupe Tribune : « Nous sommes désolés d'apprendre que Sonia n'est pas intéressée à notre offre. Bonne chance. » Mais de quelle offre parlaient-ils ?

Je n'avais pas été mise au courant – les choses se passaient entre agents américains –, mais Tribune souhaitait que j'anime une émission d'entrevues en profondeur, à la Charlie Rose, un intervieweur américain très respecté qui travaille pour PBS, le réseau de télé éducative des États-Unis. J'ai appris plus tard que le patron de Jane, un producteur nommé Drew Levin, avait joué ma carrière dans un cruel quitte ou double dont j'ai fait les frais. Il avait proposé deux émissions aux gens de Tribune, la mienne et un autre de ses projets. Les patrons de Chicago lui ont répondu qu'ils ne pouvaient réaliser qu'un seul des deux projets. Levin a bluffé : « C'est tout ou rien. » Ce fut rien. En 2012, dans une tout autre affaire, Drew Levin a été reconnu coupable de fraude par un tribunal fédéral à Los Angeles. Karma !

On m'a aussi offert d'animer une émission en espagnol au plus grand réseau hispanophone en Amérique du Nord. J'ai dit « *No gracias* ». Je ne suis pas une latino authentique : je ne parle pas l'espagnol américain et j'ignore tout de cette culture. J'ai déjà fait l'effort de m'initier à un milieu culturel tout nouveau pour moi, celui du show-business québécois, que j'adore, et c'est bien assez pour une vie.

J'ai un regret par contre : celui de ne pas avoir accepté l'offre de devenir reporter pour l'émission *Entertainment Tonight*. À ma décharge, mon talkshow venait juste de prendre fin, j'étais épuisée et je ne réfléchissais pas clairement. Je me voyais dans les coulisses de l'ADISQ en train d'interviewer des vedettes locales ; je n'ai pas compris qu'il s'agissait de tout autre chose. De plus, je n'aimais pas l'agent américain dans le dossier ; je la trouvais bizarre. Grosse erreur de ma part. Si j'avais signé avec elle, je serais peut-être chef d'antenne aux États-Unis : en effet, aujourd'hui, elle représente l'animateur-vedette Matt Lauer du *Today Show*. Barry, mon agent, est persuadé que si j'avais accepté l'offre d'*Entertainment Tonight*, on aurait fait de moi la nouvelle Mary Hart, la légendaire animatrice de l'émission. C'est lui qui le dit... mais il est normal et souhaitable que les agents nourrissent de grandes ambitions pour leurs poulains. Barry travaille toujours avec moi, et ce, depuis vingt ans.

Cette grande carrière internationale dont j'ai tant rêvé ne s'est donc pas matérialisée. Du moins, pas encore. La vérité, c'est que je suis en partie responsable de la tournure des choses, même si je ne m'en rendais pas compte à l'époque. Ma famille n'a jamais cherché à me retenir au Québec, mais je ne pouvais pas me faire à l'idée de vivre loin de ceux que j'aime. Je l'ai déjà dit, je suis incapable d'apprécier les bonheurs de la vie – un voyage, un bon repas au restaurant, etc. – sans m'attrister que ma mère et mes sœurs ne soient pas là pour en profiter avec moi. Esther me dit souvent d'arrêter de me prendre pour mère Teresa. Je vais devoir me guérir de cela, parce que gâcher mon plaisir n'ajoute rien à celui des autres.

C'est bien beau de rêver, mais il faut manger. J'ai accepté de tenir une chronique hebdomadaire à *Deux filles le matin*. En général, je garde de bons souvenirs de ces années. L'équipe m'a d'ailleurs organisé une surprise-party en ondes pour fêter mes vingt-cinq ans de carrière. Mes sœurs étaient là, mon amie Eliane, Claude Rajotte, Geneviève Borne et plusieurs autres. J'ai été très touchée par ce geste.

J'ai quitté cette émission en 2010 pour retourner chez MusiMax, à la barre de *Benezra reçoit*: quatre entrevues d'une heure par semaine, cent vingt entrevues par saison. Une somme de travail considérable, mais d'un travail taillé sur mesure pour moi.

J'ai aussi fait un saut à la radio, au 98,5, quand on m'a offert d'animer *Carte blanche,* une émission de trois heures le samedi et le dimanche réalisée par mon complice Hugo Veilleux. Jusque-là, je n'avais jamais animé une émission de radio et, bien que je préfère la télévision, j'ai adoré cette expérience qui a duré deux ans. Tout le monde est venu à mon émission, y compris des stars comme Dominique Michel, Denise Bombardier, Ginette Reno, Bruno Pelletier et Sylvain Cossette. Certains artistes se produisaient même en studio. Nous avions vraiment carte blanche; plus qu'un nom, c'était un état d'esprit. J'ai eu beaucoup de plaisir et de satisfaction professionnelle dans ce rôle différent pour moi.

Par la suite, j'ai animé *Live Drive,* l'émission du retour à la maison, à Q92 (maintenant The Beat 92.5), une station de radio anglophone de Montréal. J'avais la responsabilité de tout le contenu culturel. Encore une fois, des artistes venaient se produire en ondes, et pas n'importe lesquels. Nous avons même eu James Blunt, qui a interprété *You're Beautiful* en direct pour nos auditeurs.

J'ai beaucoup reçu de la vie, mais je n'ai pas toujours su exploiter mes capacités au maximum. Longtemps, j'ai attendu qu'on vienne vers moi, qu'on m'offre des choses, au lieu d'être proactive et de monter mes propres projets. Bien des gens m'ont dit que j'aurais dû créer ma boîte de production, mais l'idée d'administrer des budgets et de gérer du personnel ne me souriait pas. Je ne suis pas très organisée. J'ai un tempérament artistique, ce qui explique peut-être ma facilité à établir la communication avec les artistes.

Je dois aussi me battre contre ma propre passivité. Je n'aime pas le changement ; je ne m'y fais pas facilement. Je suis bien contente de continuer de vivre au même endroit et de faire la même chose. C'est plus confortable. J'ai besoin d'un coup de pied au derrière de temps à autre. Et Dieu ne se gêne jamais pour m'en appliquer un, au besoin. Pendant ma quarantaine, j'ai eu mal au derrière.

Chapitre 6

Mes rencontres, l'histoire de ma vie

J'ai interviewé des milliers de personnes issues d'univers musicaux et artistiques très différents, sans compter les sportifs. Des Bee Gees à REM, de Nana Mouskouri à Julio Iglesias, en passant par Dizzy Gillespie, Robert Redford, Maurice Richard, Def Leppard et Mary Tyler Moore. Près de dix mille personnalités d'ici et d'ailleurs entre 1986 et 2012, année où s'est terminé *Benezra reçoit* à MusiMax. Vingt-six ans d'entrevues, vingt-six ans de souvenirs. Excellents, dans l'immense majorité des cas.

Mon travail m'a permis de réaliser plusieurs rêves d'adolescente. La musique a toujours occupé une place très importante dans ma vie. Le premier album que j'ai acheté a été *Tea for the Tillerman* de Cat Stevens, bientôt suivi par *Yellow Brick Road* d'Elton John, *Dark Side of the Moon* de Pink Floyd, *Private Dancer* de Tina Turner et le premier album du groupe américain Bread qui a connu un mégasuccès avec la chanson *If*. Des classiques des années 1970 qui tournent encore et se vendent encore quarante ans après leur sortie.

Mes sœurs ont beaucoup influencé mes goûts musicaux. Je me souviens qu'elles m'ont amenée voir Carole King au Forum de Montréal quand j'avais dix ou onze ans. Carole King a connu un immense succès avec l'album *Tapestry* paru en 1971, devenu un classique de la musique pop. Elle a aussi écrit des chansons immortelles telles que *You've Got a Friend*, reprise par James Taylor, et le grand succès d'Aretha Franklin, *A Natural Woman*. Je ne pouvais évidemment pas imaginer qu'un jour j'allais rencontrer Carole King.

J'ai toujours adoré le son Motown, l'étiquette de Detroit qui a lancé des artistes comme The Jackson Five, Smokey Robinson, The Supremes, Stevie Wonder, The Stylistics, Lionel Ritchie et ses Commodores. Toutes les légendes de la musique R&B américaine sont passées par l'école Motown. J'en écoute encore aujourd'hui.

À mes oreilles, Marvin Gaye demeure le plus grand des plus grands, un artiste visionnaire. Son succès de 1971, *Mercy Mercy Me*, parlait d'écologie ; *What's Going On ?*, de la guerre. Malheureusement, seul son succès *Sexual Healing* a été récompensé par un Grammy, ce qui est incroyable pour quelqu'un qui a laissé une œuvre aussi riche que considérable. Il est mort trop jeune, abattu par son père à l'âge de quarante-quatre ans. Sans contredit, l'album *What's Going On ?* compte parmi les chefs-d'œuvre de la musique moderne.

Quand Barry White est venu chanter à mon émission, Jean-Marc Parent, un autre de mes invités ce soir-là, n'en revenait tout simplement pas : « Tu as réussi à avoir Barry White ! » Il a fait une entrée très remarquée en studio avec son manteau noir qui touchait le sol. C'était un homme massif, costaud, mais pas gros, tellement gentil, tellement spirituel ! Et cette voix basse, si sexy… Pendant l'entrevue, je l'ai interrompu pour lui demander de répéter mon nom. « *Of course, Sonia.* » Ahhh… En entrevue, ce soir-là, il m'a confié qu'il n'avait jamais voulu devenir chanteur. Les artistes ont toujours aimé se confier à moi. Lorsqu'on me reproche parfois ma supposée trop grande gentillesse avec eux, je me dis que ma délicatesse m'a valu bien des confidences auxquelles d'autres, plus agressifs, n'ont pas eu droit. En 2003, dans un taxi à New York avec mon amie Eliane et ma cousine Zehava, une de ses chansons jouait à la radio, et nous nous sommes mises à chanter en chœur. Puis, le chauffeur nous a appris qu'il venait de mourir. Je ne peux pas décrire ce que cela m'a fait. Encore aujourd'hui, quand j'y pense, je suis triste. Dire qu'on ne lui a même pas rendu hommage pendant la soirée des Grammys, cette année-là. Pire, on n'a pas souligné sa mort, alors qu'il a vendu plus de cent millions d'albums dans sa carrière. Cent millions, vous vous rendez compte ? J'ai contribué à ce succès, car j'ai offert la compilation *The Best of Barry White* à plusieurs de mes amis.

J'ai tant aimé Luther Vandross, un autre artiste de R&B américain, mort en 2005 ! Sa superbe chanson *Dance With My Father*, coécrite par Richard Marx, a été reprise par Céline Dion, qui l'a chantée aux Grammys en 2004. Et quand je vais me marier, c'est *Here and Now* de Luther Vandross qui va jouer. Oprah a promis la même chose, mais que Dieu soit mon témoin, je l'ai dit la première.

Si j'avais cinq albums à apporter sur une île déserte, je choisirais *The Best of Marvin Gaye*; *The Best of Billie Holiday*, une compilation des succès des années 1970 ; *The Best of Barry White*; *A Time for Us* de la violoniste québécoise Angèle Dubeau, qui fait une superbe interprétation du thème de *La Liste de Schindler*; et… mon propre album, enregistré en 1994.

Les gens ne me connaissaient pas comme chanteuse, mais je chante depuis que je suis toute petite. Le disque, simplement intitulé *Sonia Benezra*, a reçu d'excellentes critiques. La journaliste Marie-Christine Blais, une critique exigeante, en avait dit beaucoup de bien dans *La Presse*. L'album a peu tourné au Québec, mais, au Canada anglais, j'ai eu trois succès au *top 10*. Ce disque est devenu une pièce de collection ; je l'ai vu à 65 dollars sur Internet.

Yves Tremblay, le gérant de Guy Lafleur, a découvert que je savais chanter lors d'un téléthon que j'animais. « Vous avez une belle voix, m'a-t-il dit, avez-vous déjà pensé à enregistrer un disque ? » Avais-je pensé à ça, moi ? Disons que j'en rêvais depuis longtemps. À l'époque de MusiquePlus, il m'était arrivé d'enregistrer des démos le week-end, mais cette fois, c'était sérieux. Des auteurs-compositeurs de grand renom m'ont offert des chansons. Eddy Marnay, qui a écrit pour Édith Piaf et Céline Dion, a composé une chanson qui rend hommage à mes parents, *Mi reina, mi flor* (« Ma reine, ma fleur »). Elle raconte l'histoire d'immigrants qui arrivent dans un pays nouveau, « avec leurs enfants comme seuls bagages ». Avec la permission de la succession de M. Marnay, que je remercie très sincèrement, je vous offre ses paroles :

Deux émigrants n'ayant pour seul
   bagage que leurs enfants
Ont fui un rivage d'océan
Là au grand nord de leur cœur
Ils ont eu froid et la peur les faisait vivre
« ... Je t'aime
Mi reina, mi flor
Ma reine, ma fleur
Te quiero... »
C'était ça mon père

C'était lui mon héros
Ma joie, ma peine
Le printemps
De nos quatre saisons
C'était la force
L'écorce
De la maison

Quand j'ai grandi
Il grandissait en moi
Et aujourd'hui
Tout ce que je crois
Vient de lui
Il m'a donné
Ces mains, ce cœur, ce pays
Il est au nord de ma vie
Et je suis comme un berger
Son étoile
« … Je t'aime
Mi reina, mi flor
Ma reine, ma fleur
Te quiero… »
C'était ça mon père
C'était lui mon héros
Et si en route je doute
Je pense à lui très fort
Le ciel me sourit, il me dit
Ma reine…
… Et j'y crois encore.

Richard Marx aussi m'a écrit une superbe chanson, *Till Tomorrow*. Oui, le même Richard Marx qui avait accompagné Céline Dion au piano pendant les Grammys en 2004 pour *Dance With My Father*, qu'il avait composée avec

Luther Vandross, trop malade pour venir l'interpréter lui-même. *Dance With My Father* a remporté le Grammy de la chanson de l'année. Encore aujourd'hui, il faut que je me pince pour croire que des sommités de la musique comme Richard Marx et Eddie Marnay ont écrit pour moi.

J'en ai parlé: comme bien des femmes, je souffre du syndrome de l'imposteur. Je craignais vraiment la réception qu'aurait ce disque. J'avais peur qu'on dise: «Mais pour qui se prend-elle?» Certains l'ont dit, mais je crois que ma voix a surpris bien des gens. Je ne suis pas Aretha Franklin mais qui l'est? René Homier-Roy m'a reçue à *C'est bien meilleur le matin* pour parler de mon disque, et René Homier-Roy ne «ploguait» pas n'importe quoi.

J'ai même eu la chance de chanter sur la scène du Forum de Montréal grâce au rocker Eddie Money, une des têtes d'affiche des années 1970 et 1980. Pendant une entrevue en direct à MusiquePlus et sur les ondes de CHOM, il a annoncé que Sonia Benezra allait monter sur scène avec lui, le soir même, pour chanter *Take Me Home Tonight* et *Be My Little Baby*. J'ai flippé. Je savais qu'il avait un œil sur moi, mais de là à ce qu'il m'invite à chanter sur scène avec lui… Un jour, il m'a aussi invitée dans son lit. Je n'ai pas eu d'aventure avec une célébrité, je n'ai pas l'âme d'une groupie. Je lui ai dit: «Eddy, je préfère être ton amie.» Il m'a répondu du tac au tac: «Eh bien, sois mon amie et allonge-toi à côté de moi!» Nous avons bien ri… et nous sommes devenus amis. Je crois toujours à l'amitié entre un homme et une femme, même s'il existe une certaine tension sexuelle entre les deux.

L'expérience m'a aussi enseigné que le cœur des rockers est souvent beaucoup plus tendre qu'on pourrait le croire.

Souvent, ce sont les artistes songés qui dégagent le moins de chaleur humaine. Peut-être se prennent-ils trop au sérieux ? Parmi les anges cornus, du moins en apparence, Alice Cooper, de son vrai nom Vincent Furnier, n'est pas le moindre. Quel gentleman ! Un très bel homme derrière son maquillage, avec les plus beaux yeux bleus au monde. Il est marié à la même femme, Sheryl Goddard, depuis trente-sept ans. Ils ont trois enfants. C'est un grand fan de hockey et des Coyotes de Phoenix.

J'aime beaucoup les gars d'Aerosmith aussi, des artistes tout en douceur et en gentillesse, des superstars qui te remercient parce que tu prends le temps de les interviewer. Et que dire de Gene Simmons, de Kiss, qui pleurait en me racontant l'histoire de ses parents qui ont survécu à l'Holocauste ? On pourrait s'attendre à ce que des types comme lui soient des durs ; or, c'est rarement le cas.

Je garde aussi un excellent souvenir de Jon Bon Jovi, que j'avais interviewé au légendaire studio d'André Perry à Morin-Heights. À l'époque, il entretenait une amitié professionnelle avec Aldo Nova, un musicien montréalais très connu pendant les années 1980. Un génie, oui, mais aux prises avec des problèmes de bipolarité. Je sais que la vie est très difficile pour lui. Il a eu la générosité de venir en parler avec moi à *Benezra reçoit* en 2010.

Que dire de Mick Jagger, que j'ai interviewé à Los Angeles, lors de la sortie de son album solo *Goddess in the Doorway* en 2001 ? M. Insécurité en personne. Il est arrivé à l'entrevue avec sa styliste, avec qui il discutait le plus sérieusement du monde de la chemise qu'il allait porter. Au fond de moi, je pensais : « Mais on s'en fout, t'es Mick Jagger, tu peux bien porter un sac de poubelle si ça te tente. » Je lui ai lancé : « Dire qu'on pense que les femmes sont compliquées. » Il fallait voir ça.

Il croise les jambes mieux que n'importe quelle femme. Je le sentais nerveux, suspicieux, comme s'il craignait les questions que j'allais lui poser. J'avais écouté l'album au complet et j'en avais étudié les paroles. La vulnérabilité qui transparaissait dans ses textes m'avait frappée. Je me suis lancée : « De l'extérieur, on se dit que c'est vous qui brisez le cœur des femmes, mais en lisant vos textes, j'ai compris que vous avez souffert en amour. Ai-je tort ? » Il m'a bien regardée avant de me répondre : « Mais qui êtes-vous ? La Barbara Walters du Canada ? » Sentant que j'avais bien fait mes devoirs, il m'a dit avec beaucoup d'honnêteté : « J'ai été très blessé par l'amour. J'ai eu le cœur brisé. Les gens ne comprennent pas ; ils pensent que quelqu'un comme moi ne connaît pas de peines d'amour. C'est très gentil à vous de me poser cette question. »

L'entrevue a duré vingt-cinq minutes. Je suis retournée à l'aéroport. C'était peu de temps après le 11 septembre 2001, et l'avion avait plusieurs heures de retard. Voyager cinquante heures pour interviewer quelqu'un vingt-cinq minutes, c'était complètement fou, non ? Rock'n'roll !

Dernièrement, j'ai pensé à Mick Jagger quand sa compagne L'Wren Scott, une grande designer américaine, s'est enlevé la vie pendant qu'il était en tournée avec les Rolling Stones.

Ma rencontre avec Eric Clapton vivra toujours dans ma mémoire et dans mon cœur. Je l'ai interviewé deux ans après le succès de *Tears in Heaven*, la chanson qu'il avait écrite après la mort de son fils de quatre ans, Connor, qui a fait une chute accidentelle du balcon d'un hôtel de New York. Une des plus belles chansons de tous les temps. Cet homme portait sa peine sur son visage comme on porte un tatouage sur le bras. Nous avons eu une conversation hors du commun, et à certains moments c'est lui qui me posait des questions. Lui, l'auteur de *Layla* et de *You Look Wonderful Tonight*! Après l'avoir rencontré, j'ai compris pourquoi il change souvent sa manière d'interpréter *Tears in Heaven*. Chaque interprétation le ramène à ce moment précis où il a appris que son fils était mort. Malgré cela, je préfère la version originale.

Beaucoup de vedettes ont la tristesse imprimée au fond des yeux. Je me souviens de ma rencontre avec Bob Geldof, ex-leader des Boomtown Rats, ce groupe irlandais qui a connu un grand succès avec la chanson *I Don't Like Mondays*. Avec le rocker écossais Midge Ure, Bob Geldof a aussi créé en 1985 le groupe Band Aid, réunissant les plus grandes stars du rock pour enregistrer *Do They Know It's Christmas*, au profit des Éthiopiens victimes de la famine. Toujours avec Ure, Geldof est également l'instigateur du double concert historique *Live Aid* donné simultanément à Londres et à Philadelphie le 13 juillet 1985. L'événement *Live Aid* était surnommé le Woodstock des années 1980 et a été vu par 1,9 milliard de personnes en même temps. Aujourd'hui, on dit « sir » Bob Geldof, car il a été anobli par la reine Elizabeth. Tout comme Paul McCartney, Elton John et Mick Jagger.

Geldof a été marqué par une tragédie personnelle. Sa compagne durant vingt ans, la journaliste et animatrice anglaise Paula Yates, l'a quitté pour le chanteur du groupe australien INXS, Michael Hutchence, avec qui elle a eu une fille. Trois ans plus tard, Hutchence s'est suicidé dans une chambre d'hôtel en Australie. En 1997, Paula Yates l'a suivi dans la tombe, victime d'une surdose de drogue. Geldof a repris la garde des trois enfants qu'il avait eus avec elle, ce qui est normal, et il a aussi adopté la petite fille que son ex-femme avait eue avec Michael Hutchence.

J'ai été tellement éprouvée par mon entrevue avec Bob Geldof que j'ai dû aller m'étendre tout de suite après. La peine et la douleur qu'il m'a décrites me hanteront toujours. Nous avons parlé pendant deux heures, en toute liberté. Je lui ai demandé ce qui avait été le plus douloureux, le départ de Paula Yates ou sa mort ? « C'est quand elle m'a quitté, m'a-t-il répondu. Je suis resté enfermé chez moi pendant quatre ans. Tout mon corps n'était qu'un nerf exposé. » Encore une fois, si on pense que les hommes ne souffrent pas autant que les femmes en amour, on se trompe. Cette vieille blessure a dû se rouvrir en avril 2014 avec l'overdose fatale de sa fille Peaches Geldof, qu'il a eue avec Paula Yates. Combien de souffrance un être humain peut-il supporter ?

J'aime beaucoup l'auteure-compositrice-interprète canadienne Jann Arden, qui a connu beaucoup de succès en 1994 avec la chanson *Insensitive*. Nous avons animé un événement ensemble pendant les Jeux olympiques d'hiver de Calgary. J'ai rarement ri autant qu'avec Jann. Pourtant, quand on lit sa biographie, on constate à quel point elle a souffert au cours de sa vie. Elle a été violée et battue, et son frère s'est retrouvé en prison pour un meurtre qu'il jure ne pas avoir commis. Tant d'épreuves… Elle m'a épatée avec son sens de l'humour original et intelligent, ainsi que son optimisme et son courage. En 2012, elle a accepté de poser nue et de dévoiler ses rondeurs à la une du magazine *Zoomer* de mon ami et mentor Moses Znaimer. C'est Brian Adams qui l'a photographiée. Un superbe pied de nez aux patrons des maisons de disques qui préfèrent leurs vedettes féminines filiformes.

En parlant des Olympiques, mentionnons que j'ai animé une émission avec le comédien canadien Leslie Nielsen pendant les Jeux olympiques d'été à Atlanta, en 1996. Mort en 2010, Nielsen était bien connu pour ses rôles dans *L'agent fait la farce* et *Y a-t-il un pilote dans l'avion ?* C'était un homme très drôle et très élégant ; il n'arrêtait pas de m'embrasser la main. Quel gentleman !

Il n'y a pas que des vedettes internationales qui m'ont fait vivre des moments uniques. Ginette Reno, une femme que j'aime de tout mon cœur, m'a tellement touchée ! Elle est folle : une belle, une superbe folle ! J'ai toujours pensé que nous avions une connexion spirituelle.

Je suis triste qu'elle n'ait pas connu la mégacarrière internationale qu'elle méritait d'avoir. Le fait qu'elle ne soit pas célèbre partout dans le monde me révolte. Je l'apprécie non seulement pour sa voix et son talent, mais aussi pour son authenticité, sa spontanéité. J'aime l'entendre chanter et j'aime l'entendre tout court : j'adore les moments où elle parle au public pendant ses spectacles. J'étais ravie du succès d'estime et d'amour qu'elle a eu ce printemps avec les Canadiens de Montréal ! Vraiment, Ginette aurait dû avoir une carrière internationale. N'oublions pas qu'elle a participé au *Tonight Show* de Johnny Carson bien avant André-Philippe Gagnon.

Ginette, la chanteuse préférée de ma mère, m'a beaucoup émue au cours de mes nombreuses rencontres, à TQS, à Paris, chez elle et plus récemment à MusiMax en 2011. Nous n'avions pas de coiffeur de plateau ; elle m'a laissée lui faire une beauté avant d'entrer en ondes. Je n'avais qu'un peigne et une bonbonne de fixatif, mais je peux me vanter d'avoir coiffé Ginette Reno. Pas mal, hein ? J'ai adoré sa prestation avec Lionel Richie à *Star Académie.* J'étais curieuse de voir comment il allait réagir au talent de Ginette. Ça a donné un grand moment de télévision.

Lionel Richie est un homme très raffiné. J'ai eu l'honneur de l'interviewer à trois reprises : une fois à Montréal et deux fois à Toronto. Cet homme a connu beaucoup de moments très difficiles dans la vie : son divorce, et les années de dérive de sa fille adoptive Nicole, longtemps aux prises avec de graves problèmes de drogues dures. Il m'a beaucoup parlé d'elle. Il était heureux qu'elle se soit sortie de cet enfer qui a fini par emporter son ex-fiancé, le DJ Adam Goldstein. Aujourd'hui, Nicole est mariée au chanteur du groupe Good Charlotte, Joel Madden, un type très bien avec qui elle a deux enfants. Lionel Richie est très fier de sa fille.

J'ai aussi eu le privilège de rencontrer Smokey Robinson, une autre des plus grandes légendes de la musique noire américaine. Celui qui a composé et chanté le classique de Motown, *The Tears of a Clown*, avec son groupe The Miracles. Celui qui a écrit *My Guy* pour Mary Wells, *Ain't That Peculiar* pour Marvin Gaye, et l'immortelle *I Second That Emotion*. Un jour, ce géant de la musique s'est retrouvé là, devant moi, pour moi. Moi, Sonia Benezra de Côte-des-Neiges en train de poser des questions à Smokey Robinson ! Je suis remplie de gratitude quand je pense aux rencontres exceptionnelles que la vie m'a offertes sur un plateau d'argent.

Tout le monde n'est pas beau, tout le monde n'est pas gentil tout le temps. Je garde un souvenir amer d'un passage de Michael Bolton à MusiquePlus. On dira ce qu'on voudra de Michael Bolton, mais ce type sait chanter. Il avait enregistré une version du classique d'Otis Redding, *The Dock of the Bay*, une interprétation incroyable. J'avais fait des pieds et des mains pour le convaincre de venir la chanter en ondes, en direct à MusiquePlus. C'était au début de ma carrière, et je n'avais pas beaucoup d'expérience surtout dans les situations d'urgence. Il s'est mis à chanter et, paf, les amplis ont sauté. Il était rouge de colère. Nous sommes passés directement à l'entrevue. J'ai flatté son ego en parlant de la lettre qu'il avait reçue de la veuve d'Otis Redding : elle lui disait que c'était la meilleure version de la chanson après celle de son mari. Il a repris sa prestation, mais bon Dieu qu'il était de mauvaise humeur !

Peter Frampton a vécu un incident semblable lors de son passage à mon émission à TQS comme il s'apprêtait à chanter *Baby I Love Your Way,* une chanson que j'adore. Un de ses techniciens avait oublié de brancher sa guitare. Sa réaction a été très différente de celle de Michael Bolton ; il a dit que ce genre de choses arrivait, que ce n'était pas la fin du monde. J'avais invité Maxim Martin à partager le plateau avec moi, car je savais qu'il était le plus grand fan de Peter Frampton.

Certaines stars sont plus compliquées que d'autres, mais peu affichent autant de professionnalisme que le Canadien Paul Anka, l'auteur de *My Way,* cette chanson fétiche de Frank Sinatra qui est une adaptation anglaise de *Comme d'habitude* de Claude François.

J'ai interviewé Paul Anka à l'époque de *Duo Benezra* à MusiMax et je lui ai proposé qu'on fasse une série d'entrevues chez moi. C'est tout petit, mais c'est charmant. Quand il est arrivé, il n'en croyait pas ses yeux. « C'est vraiment votre domicile ? » Il ouvrait les tiroirs, les placards, le frigo pour s'en convaincre. Un homme extraordinaire, mais tellement compliqué. Brillant, méticuleux et vraiment riche. Il s'occupe lui-même de ses affaires et fait lui-même tous ses chèques.

Deux mois après cette première entrevue, le téléphone sonne. « *Hello Sonia ? It's Paul Anka.* » Ma voix a grimpé de deux octaves. Je venais de terminer une conversation avec Sting, et Anka m'appelait pour m'inviter à son spectacle à la Place des Arts. Sting et Paul Anka dans la même journée, pas mal, non?

Après le spectacle de Paul, nous sommes allés manger au restaurant Le Latini avec son entourage et il a insisté pour que je m'asseye à côté de lui. Il a parlé affaires tout au long du repas. Anka n'est pas le genre de personne qui parle de tout et de rien ou qui s'enquiert de la santé de l'intervieweuse. Cent pour cent business. J'ai connu peu d'artistes ayant autant de discipline. C'est très impressionnant de se retrouver en compagnie de professionnels de cette envergure. Paul Anka a été marié à la même femme, un ancien mannequin, pendant trente-cinq ans. Une de leurs cinq filles, Amanda, a épousé l'acteur Jason Bateman.

Les piliers du show-business ne sont pas tous connus du public. Je pense à un grand Québécois, Pierre Cossette, dont peu de gens connaissent le nom, mais qui a été l'un des producteurs les plus influents aux États-Unis. On lui doit la remise des prix Grammy couronnant les meilleurs artistes et techniciens du monde de la musique aux États-Unis. Eh oui, la soirée des Grammy Awards qu'on regarde chaque printemps à la télé, c'est ce Québécois natif de Saint-Anicet qui l'a inventée et produite jusqu'à sa mort en 2009.

J'ai toujours aimé les spectacles de remises de prix. J'avais depuis longtemps remarqué le nom très québécois de Pierre Cossette au générique. Je trouvais cela étrange. Un jour, j'étais à New York avec Céline Dion pour l'enregistrement d'un concert *VH-1 Divas* pour la chaîne VH-1 avec Mariah Carey, Shania Twain, Gloria Estefan, Carole King mon idole d'enfance, et la terrifiante Aretha

Franklin. Après le spectacle, nous bavardions à l'arrière-scène quand quelqu'un m'a présentée à un monsieur à casquette bien ordinaire. « *Sonia, this is Pierre Cossette.* » Quoi ? LE Pierre Cossette, le producteur des Grammys ? J'ai agrippé le poignet de mon agent, Barry – « C'est Pierre Cossette ! » –, mais il le connaissait déjà. Barry connaît tout le monde... C'était bien lui, le Pierre Cossette qui, en plus d'avoir produit les Grammys pendant trente-huit ans, a géré la carrière d'Andy Williams, produit des comédies musicales à succès sur Broadway et travaillé avec Frank Sinatra, The Mamas and the Papas et la plantureuse Ann-Margret.

Grâce à Barry, nous sommes devenus des amis. J'ai fait une émission sur ce personnage hors du commun. Je suis allée manger chez sa famille à Saint-Anicet. Sa femme Mary et lui m'ont invitée dans leur appartement new-yorkais. Je l'ai revu à Los Angeles. Je l'ai suivi *backstage* pendant les Grammys : un rêve ! Il m'a présentée à toutes sortes de gens, dont le légendaire producteur Phil Ramone.

Au moment où j'ai connu Pierre Cossette, il était déjà très âgé, quatre-vingts ans au bas mot. Il me voyait travailler aux États-Unis, et il a tout fait pour me trouver une émission là-bas. Je sais qu'il m'aimait et qu'il m'appréciait beaucoup. Quand j'allais à Los Angeles, il m'amenait toujours manger une gigantesque pièce de bœuf chez Morton's, un *steakhouse* américain très célèbre. Vous ai-je dit que le steak est mon plat préféré entre tous ? Pierre me répétait : « Tu dois déménager ici, Sonia. Il le faut. » Il avait raison, mais je ne l'ai pas fait. Je l'ai dit, je ne gère pas bien le changement, et ma famille compte plus que tout pour moi.

Aurais-je été heureuse loin des gens que j'aime ? Je ne le sais pas. Mais j'ai connu tant de bonheur et de satisfaction professionnelle à interviewer tous ces grands artistes, et plus d'une fois dans bien des cas.

J'ai eu l'immense plaisir d'interviewer David Bowie pour la première fois à MusiquePlus à la fin des années 1980, à l'époque des albums *Tin Machine, Never Let Me Down* et de la compilation *Sound and Vision*. J'étais terrifiée. Il travaillait alors avec la danseuse québécoise Louise Lecavalier. Je suis allée le rencontrer à Québec. Il fumait Gitane sur Gitane, et n'arrêtait pas de s'excuser et de me demander si cela m'importunait. Je me voyais en train de dire à David Bowie de ne pas fumer en ma présence ! J'ai ramassé ses mégots et je les ai rapportés à Montréal. Denis Talbot les a montrés en ondes.

J'ai interviewé Bowie à plusieurs reprises. Je peux vous assurer qu'il est non seulement un grand artiste, mais aussi un homme d'une merveilleuse délicatesse. Je l'ai interviewé à New York peu de temps après son mariage à Iman, pour qui il a cessé de fumer. J'ai été émue par la façon dont il parlait de sa femme. Il est très drôle aussi. Un jour, nous jasions des gens qui rencontrent leur idole et qui veulent lui parler, le toucher. Je n'oublierai jamais ce qu'il m'a dit : « Ça me dérange si je rencontre un type à l'urinoir qui veut me serrer la main tout de suite après s'être exécuté. Qu'il se lave les mains avant, au moins ! » L'humour anglais…

Ah ! James Brown, la légende de la musique soul, mort en 2006. Qui ne connaît pas ses succès ? *Papa's Got a Brand New Bag, Get Up* (*Sex Machine*), *I Feel Good*. On l'appelait le « Godfather of Soul ». Qui n'a pas entendu parler de ses déboires ? Prison, drogues, violence conjugale, James Brown n'a jamais été un enfant de chœur. Mais quel *showman* !

Mon grand ami Nat Miranda, l'un des patrons de Sony Music, dont j'étais l'intervieweuse préférée, m'avait invitée à Québec pour interviewer James Brown. Je ne savais pas trop à quoi m'attendre. Dans le corridor de l'hôtel menant à sa suite, j'entends quelqu'un qui crie : « *I'm not doing any fucking interviews.* » Oye, je n'avais plus du tout envie de rencontrer James Brown ! Nat m'a demandé de patienter dans le couloir, le temps qu'il aille lui parler. Il est ressorti de la chambre et m'a poussée à l'intérieur. James Brown s'est retourné, m'a vue et m'a dit : « *Oh, come here, pretty lady !* » (« Venez ici, jolie dame. ») Ouf !

J'avais préparé toutes sortes de questions songées, mais il était complètement incohérent. Je voulais parler de son retour, de sa légende. Il répondait à mes questions par des titres de chansons. Comme, de toute évidence, je n'allais pas réussir à réaliser une entrevue sérieuse, je lui ai demandé de m'enseigner à faire des sons à la James Brown, et nous nous sommes amusés comme des enfants pendant plusieurs minutes. Tout à coup, il m'a dit : « Je veux que tu interviewes ma femme. » Elle s'appelait Adrienne Lois Rodriguez. Elle est morte pendant une intervention de chirurgie esthétique, plusieurs années après notre rencontre. Elle était jolie – cheveux noirs, lèvres sexy, longue jupe noire –, mais tout était exagéré avec elle. Comme je savais qu'elle avait connu une belle carrière de comédienne dramatique à la télé, j'ai lancé l'entrevue sur ce sujet. Elle m'a interrompue abruptement : « Ma carrière, c'est d'être Mme James Brown ! » Encore une fois, nous n'allions nulle part. J'ai donc improvisé : « Depuis combien de temps êtes-vous mariés, alors ? » « Ah, depuis toujours ! » À ce moment, son mari est entré dans la pièce et lui a donné un coup sur la tête avec un journal roulé : « Réponds à ses questions, elle pose d'excellentes questions. » Cette entrevue devenait surréaliste.

J'ai revu James Brown un an plus tard, après un spectacle à Cannes, dans le cadre du Midem. Il se souvenait de moi et de l'entrevue à Québec. Pas complètement fou, après tout... Mais dangereux : il s'est retrouvé en prison pour violence conjugale envers son épouse Adrienne.

Oui, les rockers sont souvent les plus doux et les plus gentils, alors que les artistes « songés », comme Sting, peuvent se montrer difficiles, voire carrément désagréables. Je déteste les gens qui se présentent comme des êtres spirituels et qui ne sont que de faux jetons. Un bon exemple de cette contradiction ? La chanteuse et poétesse américaine Jewel. Elle vivait avec sa mère, je lui ai donc posé une question à ce sujet. Sa réponse : « Demandez-le à ma mère. » Et ainsi de suite.

Dans ce genre, personne n'égale Norah Jones. Je l'ai rencontrée à Toronto avec un groupe de journalistes québécois, un voyage dont nous sommes revenus en nous disant à quel point cette fille était désagréable. Un journaliste lui avait demandé si elle aimait faire des entrevues. Elle lui a répondu : « Voulez-vous que je lève mon chandail pour vous montrer mes boules ? » Il savait qu'elle n'aimait pas donner des entrevues, mais ne s'était certainement pas attendu à cette réponse-là ! En entrevue, j'ai évoqué son père Ravi Shankar, l'un des grands musiciens du xxe siècle, en notant au passage qu'elle l'avait très peu vu, puisqu'elle a été élevée par sa mère. J'ai ajouté : « Le gène musical était fort. » Elle m'a regardée et m'a lancé : « Quelle chose bizarre de dire ça, vraiment bizarre. » Je n'ai pas pu m'em-pêcher de rétorquer : « Non, ce n'est pas bizarre du tout, mais si vous voulez je vais reformuler mon commentaire. » Elle a compris que j'étais en colère et a essayé de s'adoucir, mais j'avais juste envie de finir l'entretien. Bien entendu, je me suis retenue. J'aimerais la revoir. Peut-être était-ce une mauvaise journée. En tout cas, je l'espère.

Contrairement à Dominique Michel déguisée en Sonia Benezra qui a interviewé Patrice L'Écuyer déguisé en « Medonna » au *Bye Bye* de 1993, je n'ai jamais interviewé Madonna.

Entre vous et moi, je trouve que le talent de Lady Gaga dépasse celui de Madonna. Je vous entends crier d'ici... Avant tout, Madonna sait se vendre. Elle danse bien, mais ce n'est pas une musicienne comme Lady Gaga, qui, elle, maîtrise plusieurs instruments et chante très bien, d'une voix puissante. Il faut l'entendre interpréter *The Lady Is a Tramp* en duo avec Tony Bennett pour saisir l'ampleur de son talent.

Je ne suis pas une très grande fan de Madonna, mais on ne peut qu'admirer l'intelligence et le courage avec lesquels elle a mené sa carrière. J'aimerais l'interviewer aujourd'hui. Maintenant qu'elle a atteint la cinquantaine, elle est devenue plus intéressante que jamais à mes yeux. Peut-être est-ce parce que j'ai tellement détesté ma qua-rantaine, les pires années de ma vie, des années auxquelles j'ai pensé ne pas survivre. Mais je suis encore là, plus forte et plus sage.

Je ne me souviens pas qu'un artiste ait refusé de m'accorder une entrevue. Au contraire, au fil des ans, plusieurs d'entre eux m'ont emmenée dans leur monde et m'ont fait vivre des expériences uniques et inoubliables. Il n'y a pas qu'Eddy Money qui m'a fait monter sur scène pour chanter avec lui. Enrico Macias m'a invitée à venir chanter avec lui *Dis-moi ce qui ne va pas* sur la scène de la Place des Arts, ainsi qu'à mon émission. J'étais moins nerveuse de la chanter en ondes avec mes musiciens devant des centaines de milliers de téléspectateurs qu'à la Place des Arts, avec ses musiciens, devant un public que je ne pouvais pas distinguer… Surtout sachant que ma mère était dans la salle. Dire que je ne ressentais qu'un léger stress serait mentir : j'étais morte de peur ! Mais vous vous rendez compte de la chance que j'ai eue de pouvoir chanter sur scène l'une des plus belles balades de la chanson française avec un artiste de la trempe d'Enrico Macias ?

Peu de temps après, en 1995, je suis remontée sur les planches de la Place des Arts pour un spectacle-bénéfice. On m'avait demandé de faire la première partie de Marvin Hamlisch, chef d'orchestre, pianiste, compositeur de musiques de films et de comédies musicales, et directeur musical de Barbra Streisand, pour qui il a écrit *The Way We Were*. Il n'y a que onze personnes sur terre qui ont remporté un Oscar, un Grammy, un Emmy et un Tony, et Marvin Hamlisch est l'une d'elles ; il a aussi reçu le prix Pulitzer pour son travail sur *The Chorus Line* et deux Golden Globes. Malheureusement, il est décédé en 2012 à soixante-huit ans.

En première partie de Marvin Hamlisch, j'ai interprété des titres de mon album avec quelques musiciens de mon choix, dont Simona Pirone et Vincenzo Thoma, de grands amis et de grands chanteurs. Ils se sont souvent produits à mon émission et sont mes fans les plus fervents dans le milieu de la musique. Vincenzo a écrit des chansons pour Lara Fabian et pour Roch Voisine, entre autres.

J'animais également la soirée. Quand je suis revenue sur scène après ma prestation pour le présenter, Marvin Hamlisch m'a demandé de chanter avec lui et son orchestre le classique des classiques de Gershwin, *Summertime*. Pas la chanson la plus facile à interpréter. Bien sûr, nous nous étions entendus sur ce que nous ferions, mais nous ne l'avions répété qu'une seule fois. Avec de grosses pointures comme lui, on ne sait jamais trop à quoi s'attendre, mais quel gentleman ! Il m'a fait vivre un des très beaux moments de ma vie.

Il m'avait aussi demandé si je pouvais chanter une version française de *The Way We Were*. Son contrat avec Barbra Streisand lui interdisait d'accompagner une autre artiste qu'elle pour la version originale en anglais, que je connaissais par cœur, entre autres pour avoir vu le film au moins vingt fois. (Ah ! Robert Redford, à ce jour, mon acteur préféré.) Malheureusement, je ne savais pas les paroles de la version française. Et vous ?

À mon talkshow, j'ai chanté en direct avec Roch Voisine, avec Mario Pelchat et avec Lara Fabian. Sans oublier un *Lady Marmalade* mémorable avec Nanette Workman et *Rainshowers* avec Michel Pagliaro, un gars que j'adore. André-Philippe Gagnon avait créé un numéro spectaculaire pour mon émission : il se faisait passer pour René Angélil et invitait des artistes, qu'il imitait, à chanter en duo avec moi ; parmi eux, il y avait Meat Loaf, un de mes invités préférés. Lorsque André-Philippe s'est produit à l'hôtel The Venitian à Las Vegas, on m'a demandé de réaliser avec lui une entrevue qu'on a diffusée dans toutes les chambres pour mieux le faire connaître du public américain. J'étais dans la salle le soir de la première, et il est venu m'offrir son imitation de Barry White…

Je n'oublierai jamais non plus quand j'ai chanté *T'es mon amour, t'es ma maîtresse* en direct à la télé avec Jean-Pierre Ferland, mon *bad boy* préféré du show-business québécois. Ce gars-là sait déshabiller les femmes du regard comme pas un. Et on se laisse faire, sans protester. Pas de problème, mon Jean-Pierre.

Au fil des années et des entrevues, j'ai développé des amitiés avec certaines vedettes. Je pense notamment à Roch Voisine que j'ai interviewé à plusieurs reprises. Je l'ai suivi à Paris, à Los Angeles, à Toronto. Paul Vincent, le gérant qui l'a lancé, m'aimait beaucoup. Il disait que j'étais la plus internationale des personnalités locales. Paul Vincent m'a offert le plus gros bouquet de fleurs que j'ai reçu dans ma vie, livré par la limousine qui venait me prendre pour me conduire à notre rendez-vous. Le bouquet était tellement volumineux que je ne savais pas où m'asseoir. Quand je suis revenue à la maison, le bouquet n'entrait pas dans l'ascenseur. Il va sans dire qu'aucun de mes vases ne faisait l'affaire…

Je crois que Roch Voisine n'a pas toujours été bien compris au début de sa carrière. J'aime l'artiste qu'il est devenu : plus sûr de lui, plus ouvert. Je l'ai interviewé récemment. Il m'est très cher, et je sais que lui aussi m'aime. Nous avons une belle complicité. Quand je le sentais nerveux, au lieu de me servir de sa vulnérabilité pour le faire parler, je lui disais : « Ne t'en fais pas, concentre-toi sur moi. Je vais te guider. » La première année de mon talkshow, à Noël, Roch et Paul Vincent m'ont offert un superbe bijou en or, avec des diamants, en forme de V : V pour Voisine, V pour Vincent et V pour Victoire, ma victoire, mon émission quotidienne.

J'ai passé de très bons moments avec Luc Plamondon. Je me souviens d'une entrevue que nous avions réalisée dans sa cuisine à Outremont, en nous faisant des toasts…

On m'a souvent demandé d'animer des soirées inaugurales. J'ai fait l'ouverture du Casino de Montréal, avec Dominique Michel et Roch Voisine. J'y ai présenté trente minutes de chansons du répertoire jazz, accompagnée par ma chef d'orchestre à TQS et amie, Hélène Dallaire.

J'ai animé la soirée de l'ouverture officielle du Centre Bell, sur TQS. Toutes les légendes du hockey étaient là – Bobby Orr, Jean Béliveau, Henri Richard, Ken Dryden… – et le Centre Bell était rempli à craquer. Mon père aurait été si fier de me voir présenter ses idoles. J'ai reçu un bâton de hockey signé par tous les joueurs présents ce soir-là. Je l'ai gardé en souvenir, il va sans dire.

Il n'y a pas que les artistes qui m'impressionnent. Puis-je vous dire tout le bien que je pense de Jacques Demers, l'ancien entraîneur des Canadiens et sénateur ? J'ai eu l'honneur de l'interviewer à plusieurs reprises. Je l'appelle le doux géant. Il est bourru, mais au-delà de l'apparence se cache un homme vulnérable qui ne craint pas de se montrer tel qu'il est. Il fallait beaucoup de courage pour raconter son combat pour apprendre à lire et à écrire tard dans la vie. Combat qu'il a gagné. J'admire Jacques Demers. Il aurait toutes les raisons au monde d'être amer, mais il se distingue plutôt par son sens de l'humour et son humilité.

Autre soirée mémorable au Centre Bell : la fois où j'ai présenté sur la scène Carole King, ma première idole, venue accompagner Céline Dion en spectacle. Carole King a écrit *The Reason* pour Céline, une chanson sur l'album

Let's Talk About Love. Grâce à René Angélil, j'ai pu la rencontrer. Je lui serai toujours reconnaissante de m'avoir fait vivre autant de moments magiques.

On m'a souvent demandé qui était mon artiste québécois préféré. Je ne sais pas quoi répondre à cette question : il y en a trop. Cependant, je dois avouer que j'ai eu un gros coup de cœur la première fois que j'ai rencontré René Simard. Ceux qui ne l'ont pas connu quand il était encore un gamin, n'ont aucune idée de l'étendue de sa popularité à l'époque. Frank Sinatra lui a donné sa montre en or lorsqu'il a remporté un concours au Japon, où il déclenchait des émeutes à chacune de ses visites. De plus, ce garçon d'une extrême gentillesse est devenu un gentleman. Il est demeuré très humble, et le fait que sa carrière américaine n'a pas abouti ne l'a pas rendu amer ; à sa place, bien des gens auraient sombré dans le cynisme.

J'aime Robert Charlebois, que j'ai revu récemment lors d'un spectacle au Casino de Montréal dont on m'avait confié l'animation. Il m'a dit qu'il était très heureux que ce soit moi qui le présente. Je pense que je l'ai toujours intrigué. Moi, il m'impressionne : c'est une légende vivante.

J'avais peur de rencontrer cette autre légende qu'est Gilles Vigneault. Je m'étais convaincue qu'il ne m'aimerait pas parce que je suis anglophone. Ce n'était pas la meilleure analyse, car sa conjointe est une Canadienne anglaise !

Je suis très heureuse aussi de voir que Serge Fiori est de retour après toutes ces années d'absence ; c'est un artiste que j'ai toujours aimé et une très belle âme, malgré ses tourments.

Je me suis toujours sentie proche de Marina Orsini, peut-être parce que nous partageons une expérience de vie : celle d'être nées de parents immigrants. Comme moi, elle a étudié en anglais. Je me reconnais en Marina. Elle aussi a hérité du gène du bonheur. Malgré son immense popularité, elle n'a jamais changé ; elle est parfaitement authentique. Et tellement gentille… Je l'ai croisée au restaurant L'Express après la mort de sa mère, dont elle m'a donné la photo en guise de porte-bonheur. Je l'ai toujours dans mon porte-monnaie.

Normand Brathwaite a été le premier acteur noir à la télévision québécoise, grâce à Denise Filiatrault qui lui a confié un rôle dans sa comédie *Chez Denise* en 1979. Lui aussi, c'est un vrai. Un homme fragile, qui a parlé ouvertement de son combat contre la dépression, mais également un survivant qui vit une merveilleuse histoire d'amour depuis près de vingt-cinq ans avec la productrice Marie-Claude Tétreault. J'ai un faible pour son ex-épouse, Johanne Blouin, dont j'adore la personnalité et la voix.

Du côté des artistes français, j'ai interviewé à plusieurs reprises Patrick Bruel, un homme que j'ai eu l'occasion de connaître et de mieux comprendre à travers nos entrevues, d'autant plus que nous avons des racines communes. *Paris Match* nous a déjà photographiés ensemble ; Bruel m'avait présentée à la journaliste comme « la Oprah Winfrey du Québec ». C'est un type d'une très grande intelligence, mais aussi un homme complexe, voire compliqué.

J'ai été la première au Québec à interviewer le chanteur et musicien archipopulaire en France Jean-Jacques Goldman, l'auteur-compositeur français qui a écrit l'album *D'eux* pour Céline, son plus grand album selon moi. Robert Charlebois l'avait invité au Festival d'été de Québec. Nous avons immédiatement sympathisé, même si c'est un homme très timide, qui reste en retrait. J'ai aussi interviewé

Céline avec Jean-Jacques Goldman quand *D'eux* est sorti. Je suis fière d'avoir contribué à ma manière au succès de cet album incroyable, écrit par un artiste incroyable. Céline m'a confié un jour que *D'eux* était l'album de sa vie. Elle le croit toujours.

Dans ce métier, les choses ne se passent pas toujours comme prévu. Fabienne Thibeault a vécu l'un des moments les plus tristes que nous ayons vus à la télé québécoise. Elle était venue à mon talkshow après des années d'absence au Québec. Elle devait chanter *Le monde est stone*, son succès de *Starmania*. Elle était accompagnée de son petit ami, qui est aussi son saxophoniste. Elle semblait nerveuse, nous étions en direct. Elle se met à chanter et puis, catastrophe, elle est incapable d'atteindre la note. Elle s'arrête tout net et dit : « Sommes-nous en direct ? Peut-on recommencer ? » Je l'ai encouragée à continuer. Elle a terminé la chanson, mais elle était très déçue de sa performance. Nous sommes rapidement passés à la pause publicitaire. Fabienne a quitté le studio en larmes, et son chum ne faisait rien pour la consoler… Je suis allée la voir et je l'ai convaincue de revenir pour parler de ce qu'elle venait de vivre. Elle a accepté. Quel courage de sa part ! Les artistes ne sont pas des machines. Nous avons fait de la bonne télé ce jour-là, mais à quel prix ?

Jamais je n'oublierai le passage de Jacques Higelin à mon talkshow. Il est arrivé au milieu de l'après-midi pour répéter avec mes musiciens, bouteille de vin blanc à la main. Je me suis dit : « Mais qu'est-ce que ce sera ce soir, à 18 h 30, quand nous entrerons en ondes, en direct ? » J'avais raison de me faire du mauvais sang. Il s'est présenté sur le plateau, en apparence normal ; enfin, aussi normal que peut l'être Jacques Higelin. Je me suis levée pour l'embrasser, comme je le faisais avec tout le monde, mais le voilà qui essaie de plonger sa langue au fond de ma gorge. Ce soir-là, le public était majoritairement composé de clients de TQS, des gens qui achetaient de la publicité. C'est ce qu'on appelle en langage diplomatique un beau défi pour une intervieweuse...

Je lui ai dit: «Monsieur Higelin, vous allez être un gentil garçon là.» Il s'est levé, a refusé de reprendre sa place et est parti s'asseoir sur les genoux des spectateurs dans la salle. Je voyais la panique se dessiner dans les yeux de mon régisseur et complice adoré Éric Tessier. J'ai pensé: «Oh non, Higelin, tu ne vas pas me faire ça...» Et j'ai décidé de prendre l'affaire en main. Nous avons fait l'entrevue comme si de rien n'était, moi dans ma chaise et lui dans l'assistance.

«Bon, monsieur Higelin, je vois que vous avez une autre conception de comment on doit faire de la télévision. Je vais vous suivre. Je suis très ouverte aux nouvelles idées. Vous êtes un artiste...

— C'est d'la merde! a-t-il répondu.

— Et vous, monsieur Higelin, comment feriez-vous de la télé?

— Combien allez-vous me payer?» m'a-t-il lancé.

Je n'ai pas pu me retenir: «Ce n'est pas très artistique comme réponse...» Il a ri, mais il est resté dans l'assistance.

L'émission a continué, j'ai reçu mes autres invités. Il a présenté sa chanson avec mes musiciens et tout s'est bien terminé. Heureusement, parce que ce soir-là, TQS avait invité tous les commanditaires! J'étais assez fière de moi. Je n'avais pas perdu mon sang-froid et je n'avais pas eu recours au bon vieux truc de la pause publicitaire; j'avais continué d'animer comme si de rien n'était. Mais quand je suis rentrée à la maison et que j'ai enlevé ma veste, j'ai dû la mettre dans la pile destinée aux bons soins du nettoyeur... J'aime que les entrevues prennent une tournure inattendue, mais cette fois-là, j'ai eu chaud.

Au fil des ans, j'ai reçu de formidables artistes français, de Maurane à Francis Cabrel, que j'adore, en passant par Florent Pagny et Catherine Lara. Récemment, j'ai animé *Le Retour de nos idoles*, la fête de la nostalgie, à Québec, et j'ai pu revoir avec plaisir des grands comme Michel Fugain, Dick Rivers et Nicole Croisille.

J'ai eu la chance d'aller interviewer Johnny Hallyday à Paris. J'avais de lui l'image d'un type pas très sympathique. Je le pensais froid, macho, difficile. Il m'a bien eue : il est tout sauf cela. En lisant sa biographie écrite par l'ex-femme de Patrick Bruel, Amanda Sthers, j'ai découvert un homme qui a beaucoup souffert. J'ai vu tant de tristesse dans ses yeux. C'est un homme qui manque de confiance en lui. Qui l'aurait cru ? « J'ai l'impression d'avoir réussi ma carrière, mais d'avoir raté ma vie », m'a-t-il confié. Il m'a remerciée pour ma sensibilité et mon professionnalisme en ajoutant que beaucoup de journalistes français essayaient surtout de se mettre en valeur. Il m'a proposé d'animer sa conférence de presse ; j'ai accepté, bien entendu.

Quelques mots sur l'acteur Christophe Lambert, l'homme aux yeux étrangement intenses et fascinants. Il devait venir à mon talkshow, mais son avion est arrivé en retard. L'émission, en direct, a commencé sans lui et, à chaque pause publicitaire, je demandais à l'équipe : « Alors, il est là ? » Nous avions réservé douze minutes pour l'entrevue. C'est long, douze minutes, à la télé. Je commençais à avoir chaud. Au retour de la dernière pause, j'allais dire : « Malheureusement, mesdames et messieurs, Christophe Lambert n'a pas pu… » Soudain, je le vois s'avancer vers moi, souriant, avec ses bottes et son manteau : « Je suis là. » Ouf !

En direct, tout peut arriver. Le passage de Francis Martin à mon émission en est la preuve. Il était au sommet de sa gloire et venait chanter son grand succès *Quand on se donne*. Dès qu'il a commencé, un spectateur sorti de nulle part a surgi sur le plateau et s'est menotté à lui. Francis Martin a quand même terminé sa prestation, calmement. Tout de suite après, nous sommes passés à la pause publicitaire. Les gardes de sécurité sont arrivés, ont libéré notre invité et ont amené l'hurluberlu. De retour en ondes, Francis Martin a reçu une ovation. Nous avons appris par la suite que l'énergumène participait à un concours organisé par une station de radio : celui qui réussissait à faire le coup le plus audacieux remportait 5 000 dollars. Il a gagné. Sa grand-mère nous a contactés pour nous demander de retirer la plainte déposée contre lui parce que c'était un bon garçon et qu'il avait vraiment besoin de cet argent. Ce que nous avons accepté de faire.

Pauvre Francis Martin… Je le revois chanter en regardant ce type menotté à lui, comme pour le calmer, ne sachant pas du tout comment tout cela allait se terminer. Cet ex-chanteur, qui s'appelle aujourd'hui Kaya, est un homme doux. Je l'ai interviewé en 2011 dans le cadre de *Benezra reçoit*. Il est toujours aussi gentil. Il enseigne maintenant le bonheur par les rêves et la spiritualité, mais je sais qu'il a beaucoup souffert pour en arriver là.

Paul Sarrasin, un des animateurs de la première heure à MusiquePlus, a également beaucoup souffert. Pour moi, il était comme un petit frère espiègle. Il me piquait régulièrement mon lunch et je l'aidais à monter ses dossiers. En 1993, il a fait un album qui n'a pas marché comme il l'aurait souhaité malgré des critiques élogieuses ; même le très exigeant Claude Rajotte avait aimé son album ! Puis, Paul a perdu son emploi non seulement à MusiquePlus, mais aussi à la radio. J'étais déjà à TQS, et je ne savais pas qu'il vivait l'enfer : la pauvreté, la drogue, la rue. Si j'avais su… Je l'ai reçu à MusiMax en 2011 et je me suis excusée publiquement de l'avoir abandonné quand il avait besoin d'aide. J'étais tellement prise par ma carrière que je n'ai rien vu.

Ce soir-là, Paul a révélé en ondes qu'à l'époque de MusiquePlus, quand il n'avait que dix-huit ans, il avait découvert qu'il était père d'une enfant. Pendant l'enregistrement de notre entrevue, son téléphone s'est mis à sonner. Il s'est excusé : « C'est ma fille. » Elle téléphonait à l'instant même où il était question d'elle ; on n'aurait pas pu prévoir un moment plus parfait. Il a répondu. Puis, je lui ai demandé si je pouvais prendre l'appareil, et nous avons fait une entrevue impromptue. Les gens ont beaucoup parlé de ce moment unique à la télévision, et cette émission s'est retrouvée en nomination pour un prix Gémeaux. Aujourd'hui, Paul va très bien. Il a étudié le doublage au Conservatoire et travaille maintenant dans ce domaine pour le cinéma.

Tant d'artistes, tant d'anecdotes. Je pense à Cyndi Lauper que j'ai souvent interviewée. Tout le monde se souvient de *Girls Just Want to Have Fun*, il y a trente ans déjà. On oublie à quel point certains artistes ont été populaires. Quelle femme excentrique ! Quand on lui posait une question, sa réponse allait dans une autre direction, et il fallait tout un effort pour la ramener dans le bon chemin. Une artiste… mais on devait se consacrer entièrement à elle. Elle n'avait aucune notion du temps. On ne sentait jamais que quelqu'un l'attendait ailleurs ; faire une interview avec elle, c'était comme bavarder avec une amie. Sauf qu'ensuite, j'avais besoin de Tylenol…

Après sa période de gloire initiale, les gens ont pensé que Cyndi Lauper était finie, mais, comme Tina Turner, elle leur a fait tout un pied de nez. Elle a composé avec le légendaire Harvey Fierstein une comédie musicale intitulée *Kinky Boots*. Ce spectacle a été le plus grand succès sur Broadway en 2013 et il a remporté des tas de prix, dont le Tony pour le *musical* de l'année. Et devinez qui a coproduit ce mégasuccès signé Cyndi Lauper ? Gilbert Rozon par l'intermédiaire de la filiale new-yorkaise de Juste pour rire !

Une de mes amies, Kat Dyson, ex-membre du groupe de R&B Montréalais Tchukon, a joué de la basse pour Cindy Lauper. Et pour Prince, que je n'ai jamais interviewé, malheureusement. Je crois que cet homme porte en lui une tristesse profonde.

Dans un tout autre genre, j'ai toujours gardé une place de choix dans mon cœur pour Samantha Fox, la petite blonde aux formes généreuses qui chantait *Touch Me* (*I want to feel your body*). La femme de rêve des adolescents des années 1980... Oui, Samantha Fox est son vrai nom ; ça ne s'invente pas. Cette fille, que la vie n'a pas épargnée, demeure l'un des êtres humains les plus gentils et les plus honnêtes que j'ai croisés dans toute ma carrière. Nous n'avons jamais perdu le contact. Je devrais lui donner un coup de fil, tiens...

Encore une fois, il faut fouiller dans la boîte à souvenirs pour se rappeler à quel point elle était populaire. Trente millions d'albums vendus ! *Touch Me* a été au sommet des palmarès dans dix-sept pays. Quand elle est venue à MusiquePlus la première fois, elle a eu besoin d'une escorte policière. Les policiers ont fermé toutes les rues du quartier, craignant une émeute. Je devais faire avec elle un spécial d'une heure intitulé *En ligne avec Samantha Fox*. C'était la folie.

Elle est venue à Montréal à plusieurs reprises. Pendant une de ses visites, elle m'a confié qu'elle avait peur de dormir à l'hôtel. Elle a averti sa mère, qui voyageait avec elle, qu'elle allait « dormir chez Sonia ». Nous avons regardé des films toute la nuit. Malgré sa popularité, Samantha reste simple et accessible. Elle est même venue chez ma sœur Kelly pour un barbecue. Il va sans dire que mon beau-frère a gardé un souvenir impérissable de cette rencontre. Il y a une photo de lui avec Samantha imprimée sur sa tasse de café ; elle reste sa préférée.

J'ai aussi accompagné Samantha à New York où elle devait tourner une vidéo pour sa maison de disques, qui voulait la lancer aux États-Unis. Elle y a d'ailleurs connu un certain succès. Puis, la tuile. Son père, qui gérait sa carrière, lui a volé des millions de dollars. Devenu cocaïnomane, il a dépensé tout ce qu'elle possédait. Celle qui passait pour la cinquième femme la plus riche en Grande-Bretagne n'avait plus que 500 dollars dans son compte en banque. Une immense trahison.

En 2004, elle a refait surface, et je l'ai reçue à *Duo Benezra*. De belles retrouvailles. Je lui avais fait livrer un jean Parasuco bordé de cuir, qu'elle a porté pour l'émission. Nous avons regardé des entrevues que nous avions faites ensemble au fil des ans. Surprise : dans cette vidéo tournée à New York quand j'étais avec elle, nous avons découvert que l'une de ses danseuses n'était nulle autre que... Jennifer Lopez.

Cela me rappelle Mariah Carey, une autre femme très gentille malgré sa réputation de diva. Un immense talent, mais elle n'a peut-être pas toujours fait les meilleurs choix. Elle a pleuré pendant l'entrevue quand nous avons abordé le sujet de son père, avec qui elle avait perdu contact au fil des ans. Ses parents ont divorcé quand elle avait trois ans. Sa mère est blanche, son père était noir, et le couple n'a pas survécu aux pressions de l'entourage. Mariah a grandi avec sa mère et s'est longtemps débattue avec des conflits d'identité. Sa maison de disques, Columbia – propriété de Sony Music, dont elle avait épousé le président Tommy Mottola –, la «vendait» comme une artiste blanche. Lorsque nous nous sommes rencontrées, elle voulait tout savoir sur mes origines. J'ai été heureuse d'apprendre qu'elle s'était réconciliée avec son père peu de temps avant qu'il meure, et qu'elle avait fait la paix avec son identité biraciale.

J'ai aussi interviewé Janet Jackson à plusieurs reprises, ainsi que sa sœur La Toya, qui a l'air d'un personnage de bande dessinée, mais dont l'intelligence manifeste étonne. Le mari de La Toya à l'époque m'avait fait une liste des sujets que je ne devais pas évoquer en entrevue. Les Jackson, Joe Jackson… Une fois devant moi, elle a décidé d'aborder tous les sujets décrétés tabous par son mari. C'est une femme très courageuse, mais perdue. Elle m'a beaucoup parlé de son père, qu'elle appelait Joe et non *daddy ou my father*. Elle avait très peur de lui. Le réseau d'Oprah, OWN, a réalisé une téléréalité sur la vie de La Toya Jackson; je l'ai regardée pour savoir où elle en était. Quelle tristesse de voir cette femme de cinquante-cinq ans demander à son père durant un souper en tête à tête au restaurant si elle pouvait l'appeler papa.

Comparée au reste de la famille Jackson, Janet, elle, a relativement gardé les pieds sur terre; je dis relativement, car son mariage à un milliardaire du Qatar en 2012 a fait beaucoup jaser. On m'avait demandé de la présenter lors d'un de ses spectacles au Forum de Montréal au début des années 1990. Quand je suis arrivée sur scène, les gens pensaient que j'étais Janet, à cause de mes cheveux. Avant le spectacle, Janet avait admiré mes boucles d'oreilles, gigantesques comme toujours à cette époque. Je les ai retirées pour les lui donner. Comme toutes mes boucles d'oreilles, elles étaient faites pour moi par la boutique Eliko sur la rue Sainte-Catherine ; chaque paire était une véritable œuvre d'art. Janet était tellement contente ! Il y a une seule exception à ma fidélité à Eliko : quand j'ai animé à Toronto les premiers World Music Awards produits par MuchMusic, Moses Znaimer m'avait offert des boucles d'oreilles en argent qu'il avait rapportées du Mexique. Deux immenses étoiles d'au moins cinq centimètres de long. Personne d'autre que moi ne pouvait porter cela selon Moses. C'était mon premier cadeau de la part d'un patron.

Janet Jackson ne désirait pas faire carrière dans le showbusiness. Elle voulait étudier le droit. Son père a rapidement fermé cette porte. Les enfants Jackson ont été élevés dans une atmosphère très religieuse. Ils ont toujours obéi au commandement biblique « Père et mère tu honoreras » Janet a donc respecté le souhait de son père et a abandonné son rêve. Les enfants Jackson prenaient la religion très au sérieux.

Je n'ai pas interviewé que des vedettes du showbiz. J'ai reçu à mon talkshow Betty Mahmoody, l'auteure de *Jamais sans ma fille*. Une femme très brave, et qui, malgré ce que lui a fait subir son mari iranien, n'affichait aucune amertume. Le public a été conquis par sa simplicité, son intelligence et son sens commun. Elle m'avait beaucoup impressionnée. Aujourd'hui je ne peux pas m'empêcher de me demander pourquoi elle a gardé le nom de ce mari qui l'a tant fait souffrir.

Je n'ai jamais interviewé Whitney Houston, mais deux mois avant sa mort, j'ai reçu son ex-mari Bobby Brown, celui que l'on croit à tort être responsable des problèmes de drogue de Whitney. En fait, c'est son frère qui l'avait initiée à la cocaïne, bien avant qu'elle rencontre Bobby Brown. Il l'a lui-même confié à la télévision américaine après la mort de sa sœur.

Je n'ai jamais vraiment pensé que Whitney avait tout arrêté. Quand elle a dit en 2002 à l'intervieweuse américaine Diane Sawyer « *crack is whack* », maigre comme un chicot, la voix brisée, je n'y ai pas cru. Il était évident qu'elle était toujours sous l'emprise de la drogue. Quelle tristesse que de voir une femme si magnifique, si talentueuse, dans un tel état…

Quand j'ai rencontré Brown, qui jurait être sobre – je le souhaitais de tout cœur, mais l'homme devant moi suait à grosses gouttes et montrait des signes de nervosité extrême –, j'ai compris qu'il n'était pas mauvais. Plutôt brisé. Deux mois plus tard, il s'est pointé aux funérailles de Whitney, mais il n'est pas resté. Il ne se sentait pas le bienvenu.

Musicalement, Brown a fait de bonnes choses – on se souviendra de son plus grand succès, *My Prerogative*, repris par Britney Spears –, mais dans la vie de tous les jours, c'est un être limité. Il avait du mal à s'exprimer correctement. À l'époque, tout le monde disait que Whitney avait fait une mésalliance, qu'elle valait mieux que cet ex-membre du *boy's band* New Edition. Il était beau et sexy, il chantait et dansait bien, mais il traînait un gros problème d'alcool depuis l'âge de dix-sept ans. Au début de 2013, il a été arrêté une fois de plus pour conduite en état d'ébriété et il s'est retrouvé en prison. Depuis, il semble cependant avoir repris sa vie en main ; en tout cas, je le lui souhaite. Il a même participé à une téléréalité *The Husbands of Hollywood.*

Quand Whitney est morte, j'ai dû me battre avec la direction de MusiMax pour qu'ils rediffusent mon entrevue avec Bobby Brown. Ils n'en voyaient pas l'intérêt ! Allô ? Cette rediffusion a connu un grand succès.

Parlant de ces groupes de jeunes garçons qu'on appelle les *boy's bands,* j'ai été la première à interviewer les New Kids on the Block, au tout début de leur popularité, en 1986. Par la suite, je les ai interviewés à plusieurs reprises et j'ai eu l'honneur de les présenter lors de leur spectacle au Stade olympique en 1990 devant cinquante mille fans en délire. Je me souviens que j'avais une boucle dans les cheveux et que tout le monde voulait me toucher parce que j'avais touché aux NKOTB.

Donnie Wahlberg, l'un des membres du groupe et le frère de l'acteur Mark Wahlberg, aimait flirter avec moi. Même si cela me mettait mal à l'aise, j'aurais été déçue qu'il cesse de le faire. Quel *bad boy* ! Comme son frère Mark, il est devenu acteur. Il joue l'un des rôles principaux dans la série policière à succès *Blue Bloods,* mettant en vedette Tom Selleck. Mark Wahlberg a aussi produit les trois premières saisons de la série à succès *In Treatment,* avec Gabriel Byrne. Son frère Donnie va épouser l'animatrice et actrice Jenny McCarthy, qui dit de lui qu'il est l'homme idéal… Avoir su !

Les frères Wahlberg se sont très bien tirés d'affaire pour des gars issus d'un milieu pauvre de Boston. Nous avons aussi tourné à Los Angeles un spécial sur eux pour MusiquePlus. Je connaissais bien leur agent, Maurice Starr – un autre qui me trouvait à son goût –, et je l'avais convaincu de tourner ce spécial réalisé par Lyne Denault, aujourd'hui vice-présidente de Canal Vie. À la fin du tournage, je suis allée manger avec l'équipe dans un restaurant à la mode, situé dans un quartier branché de Los Angeles. Michel Coulombe, notre cameraman, a déposé sa caméra sous sa chaise. Tout à coup, un homme très bien habillé – je me souviens encore qu'il portait des souliers de course d'un blanc éclatant –, se rue vers nous, saisit la caméra sous la chaise et file en direction d'une auto qui l'attend, la porte ouverte. Cette caméra valait 60 000 dollars. Michel était dans tous ses états. Bien entendu, la caméra était couverte par des assurances, mais quelle aventure ! C'était mon premier voyage à Los Angeles...

Les serveurs du restaurant ont tenté de rattraper le voleur, en vain. Les policiers sont venus, nous avons fait notre déposition, et nous sommes rentrés à notre hôtel, le Hyatt sur Sunset Boulevard, en piteux état. J'étais maquillée et j'avais pleuré ; je ressemblais à Alice Cooper ! Le miroir dans le hall me renvoyait une image bouleversante. Mais nous avons pris l'ascenseur et nous sommes retrouvés nez à nez avec Little Richard, vedette des années 1950 et pionnier du rock'n'roll connu pour ses excentricités. Il portait au moins dix fois plus de maquillage que moi ! Nous avons bien ri et cela a dissipé la tension qui s'était installée depuis le vol. La bonne nouvelle : Michel Coulombe avait retiré la cassette de la caméra avant qu'elle ne disparaisse. Tout n'était pas perdu.

Quand je pense à Lyne Denault, je pense au spécial que nous avons fait ensemble sur David Cassidy pour MusiquePlus. Cassidy a été, sans contredit, la principale idole des jeunes Américaines dans les années 1970. Il jouait le rôle de Keith Patridge dans l'émission musicale *The Partridge Family,* et Lyne avait été l'une de ses plus grandes fans durant son adolescence. Tout un tournage, mes amis! Nous avons passé plusieurs heures avec lui dans un studio de Los Angeles. Il semblait plus petit dans la vraie vie, plus vulnérable, plus fragile.

Qui dit New Kids on the Block, dit Backstreet Boys. Quand j'ai vu les Backstreet Boys la première fois en 1995 et que j'ai entendu la chanson *We've Got It Going On*, j'ai tout de suite compris qu'on vivrait la même folie. Avant même que le groupe soit connu, j'ai convaincu l'équipe de Coscient et avec eux TQS de leur consacrer une émission spéciale. Elle a été réalisée par Jean Lamoureux, qui est revenu travailler avec moi pour l'occasion. Le réseau a décidé de la diffuser en même temps que le Super Bowl, mais, malgré cela, nous avons récolté d'excellentes cotes d'écoute.

Les Backstreet Boys sont devenus d'immenses vedettes partout dans le monde, mais tout a commencé à Montréal pour eux. Ils ont dit et redit que j'avais contribué à leur succès, et Howie a même accepté d'être interviewé pour l'émission *Musicographie* qui m'a été consacrée. Pardonnez-moi si je me donne une petite tape dans le dos, mais vingt ans plus tard, ils sont toujours le *boy's band* numéro un dans le monde et ils continuent de remplir le Centre Bell à chacune de leurs visites.

J'ai fait deux autres spéciaux avec eux, dont un à Paris, et plusieurs autres entrevues. Ils étaient à la première émission de *Benezra reçoit*. J'ai voyagé avec eux à Paris, à New York et en Floride. J'ai rencontré leurs familles, leurs parents… Je les ai tous interviewés individuellement. Quel exercice révélateur!

Quand je suis allée dans la suite d'A. J. Maclean, j'ai vu partout des bouteilles de vitamines et de suppléments alimentaires ; j'ai compris qu'il n'était pas bien dans son corps, qu'il se sentait invisible. Il a même créé un alter ego qu'il utilise lorsqu'il ne travaille pas avec le groupe : Johnny No Name. Il s'est battu avec l'alcool et la drogue, mais il est aujourd'hui marié et père d'un enfant, et les choses semblent aller beaucoup mieux pour lui.

Kevin Richardson est le plus discret des BSB, et le plus vieux. Il se montre très protecteur avec les autres membres du groupe. Comme son cousin Brian Littrell, il est très croyant. Marié depuis quatorze ans, il est père de deux enfants. C'est un très bel homme : il a été mannequin pour Versace, une maison connue pour son style osé. Parler de vêtements me rappelle que nous avons fait la couverture inoubliable d'un magazine ensemble. On avait réussi à faire enlever leurs t-shirts aux Boys pour cette couverture, et Kevin, très mal à l'aise, regrettant même sa décision d'accepter cela, avait demandé à l'équipe graphiste de lui mettre un t-shirt grâce à Photoshop.

Ange est le mot qui décrit le mieux Brian Littrell. Il a l'une des plus belles voix de la musique pop. C'est un homme de foi et de famille, un *born again Christian*. Lorsqu'il ne travaille pas avec les BSB, il enregistre des albums de musique gospel. Je l'imagine facilement devenir pasteur un jour !

Je ne dirais pas la même chose de Nick Carter. Quand il a commencé avec les BSB, il n'avait que treize ans. Joli garçon, il est rapidement devenu la coqueluche des adolescentes. Or, il venait d'une famille dysfonctionnelle et il était fragile. Sa sœur est morte d'une surdose de drogue, et lui-même a fait la manchette avec ses abus d'alcool et de drogues. Heureusement, grâce à l'intervention de Kevin Richardson, il a repris sa vie en main. Il s'est marié en 2013. Il m'avait confié en entrevue qu'il se trouvait chanceux d'avoir survécu à ses excès.

Enfin, il y a Howie, Howie Dorough. Nous sommes très proches. Il pourrait être mon frère. Lorsque les BSB sont venus à Montréal en 2013, Howie voulait me présenter sa femme et son fils après leur spectacle au Centre Bell. Je n'ai pas pu y aller, malheureusement. Je le regrette beaucoup. Ce sera pour la prochaine fois.

Personne ne s'est produit au Centre Bell plus souvent que les Backstreet Boys ; c'était le vingtième spectacle qu'ils y donnaient ! Quand je pense qu'au début j'ai dû me battre avec TQS pour les intéresser au phénomène Backstreet Boys… Nous n'avons jamais perdu le contact. J'ai leurs numéros privés, et ils ont le mien. Nous nous parlons régulièrement.

Mon travail m'a permis de rencontrer plusieurs hommes que la majorité des femmes trouvent sexy. Je pense à Robert Plant de Led Zeppelin, qui parle très bien français et vient encore à Montréal. Un des rois du rock et un type très bien, très gentil.

Que dire de Julio Iglesias ? L'original Iglesias. Père d'Enrique, ce bel Espagnol qui est le plus romantique des crooners a vendu au-delà de cinq cents millions d'albums dans sa carrière. Je l'ai interviewé à plusieurs reprises, un plaisir toujours renouvelé. Quel homme brillant – il a étudié le droit – et distingué ! Il vient d'une très bonne famille, et ça paraît. Il est galant, raffiné, chaleureux et pas du tout snob.

J'ai dîné au restaurant avec lui et son entourage ; j'étais la seule journaliste admise dans ce cercle privé. Je l'ai vu répéter avant son spectacle et je n'ai pu qu'admirer le perfectionniste et le professionnel en lui. Il contrôle tout : c'est lui qui décide de quel côté on va le photographier, le meilleur étant le gauche. La dernière fois que j'ai croisé Julio Iglesias, en Floride, il m'a demandé ce que je pensais de son intervention de chirurgie esthétique au cou ! Il a plus de soixante-dix ans et il travaille toujours : il peut bien se permettre cette petite coquetterie.

C'est aussi en Floride que j'ai tissé des liens avec Gloria Estefan et son mari, Emilio, les inventeurs du « Miami Sound Machine ». Ils m'ont traitée comme un membre de la famille : ils me présentaient à tout le monde comme leur cousine canadienne. Quelle grande histoire d'amour que celle de Gloria et Emilio Estefan ! Ils vivent pour la famille et pour la musique. Au fil des ans, ils ont aidé de nombreux artistes latinos à percer, comme Shakira et Ricky Martin. Pour moi, ils sont synonymes de générosité. On leur dédiera d'ailleurs une comédie musicale sur Broadway à l'automne 2015. Je veux des billets !

Je garde un très bon souvenir de mes rencontres avec Julian Lennon. Il m'a parlé de sa mère Cynthia, qui a été démolie lorsque John l'a quittée. Il était très touché par tout le travail que j'avais fait pour préparer l'entrevue. Quand il est revenu à Montréal, sa maison de disques m'a appelée pour m'inviter à souper avec lui.

Mon lien avec les Beatles va jusqu'à Pete Best, qui était le batteur original du groupe à ses débuts à Liverpool et à Hambourg, de 1960 à 1962. Quelle histoire tragique ! Lorsque les Beatles ont auditionné devant George Martin aux studios EMI, ce dernier n'a pas aimé le jeu de Best et a demandé à Brian Epstein, le gérant des Beatles, de trouver un autre batteur. Le groupe connaissait déjà Richard Starkey, qui remplaçait Best quand il était malade. C'est ainsi que Pete Best est devenu un ex-Beatle, et que Richard Starkey est devenu Ringo Starr…

MusiMax a fait une émission d'une heure sur Pete Best. Je pensais rencontrer quelqu'un d'amer. Pas du tout. C'est un homme doux en tout point. Il aurait pu mariner le reste de ses jours dans le ressentiment, mais ne l'a pas fait. En 1995, les Beatles ont inclus sur l'album *Anthology 1* des pièces sur lesquelles il avait joué, dont *Love Me Do*. Best a quitté la musique en 1967 pour devenir boulanger, puis employé de la fonction publique anglaise. Dans les années 1980, il a effectué un retour à la musique, et le Pete Best Band se produit partout dans le monde depuis. N'empêche que cet homme aurait pu être un des Fab Four…

Son remplaçant, Ringo Starr, m'a beaucoup moins impressionnée. Je l'ai rencontré deux fois. Pour un gars qui a eu une telle chance dans la vie, je l'ai trouvé très ordinaire. Pas méchant, mais pas chaleureux non plus. Il donne l'impression de s'en ficher. Tout le contraire de McCartney, qui a encore le feu sacré.

Que dire de Rod Stewart, cet autre géant ? Je devais l'interviewer après son spectacle à Montréal à *Duo Benezra*. Il était accompagné de Penny Lancaster, sa fiancée d'alors, qui est devenue depuis sa troisième épouse. Il ne faut jamais interviewer une superstar après un spectacle. Surtout pas un soir de Saint-Valentin quand sa fiancée l'attend dans la chambre d'à côté. La dernière chose qu'il avait envie de faire, c'était de se confier à une journaliste. Pourtant, en vrai professionnel, il s'est exécuté et a répondu à toutes mes questions. Il s'est même adouci au fur et à mesure que je les posais. À l'époque, il n'avait pas encore reçu de Grammy – situation corrigée depuis – et il m'en avait parlé avec tristesse, incompréhension et candeur. La plupart des artistes auraient eu honte de raconter cela. Je lui ai dit : « Si cela peut vous consoler, Rod, Marvin

Gaye n'a reçu qu'un seul Grammy, pour *Sexual Healing*, et seulement à la fin de sa vie. La liste des grands qui n'ont jamais été remarqués par les Grammys est plus longue que la liste des gagnants. » Il l'ignorait. Je pense que je lui ai fait du bien.

On a l'impression que rien n'atteint les vedettes comme Rod Stewart. Erreur. Il avait un côté puéril, comme un enfant qui veut des bonbons. C'est un homme charmant, qui s'habille de manière sublime. Malgré ses vestons jaunes, ses chemises roses et les plus belles mèches blondes que j'ai vues de ma vie, on sent que c'est un homme, un vrai. Tout ça devait coûter une petite fortune. Ces gens-là ne laissent rien au hasard ; chaque détail de leur image compte. En fait, leur image compte pour beaucoup dans leur succès.

J'ai adoré interviewer l'entrepreneur anglais sir Richard Branson, créateur de Virgin Records, Virgin Atlantic, Virgin Radio, Virgin Intergalactic, Virgin Mobile, Virgin tout, quoi. Quel homme et quel visionnaire ! Comme j'avais lu sa biographie avant de le rencontrer, j'étais très impressionnée, mais il m'a tout de suite mise à l'aise. Il a exigé que notre entrevue soit diffusée à travers le Canada, et nous avons passé une heure ensemble. Il est tout simplement renversant. Et quel bel homme !

Un grand aventurier devant l'Éternel, ce Richard Branson : ses nombreux voyages en montgolfière ont fait les manchettes. Et pour cause, puisqu'il a été le premier à réussir l'exploit de traverser l'Atlantique en ballon. Il m'a avoué avoir torturé sa famille avec sa quête de sensations fortes et m'a confié qu'il laissait toujours une lettre à sa femme Joan lorsqu'il partait, au cas où il ne reviendrait pas. Je lui ai demandé ce qu'il y avait dans ces lettres. Il m'a dit qu'elles parlaient de l'amour qu'il ressentait pour elle et pour ses

deux enfants, Holly et Sam. Les avait-elle lues? Eh bien…
non!

J'ai aussi gardé un excellent souvenir de ma rencontre avec la fille du King, Lisa Marie Presley. Une femme intelligente, qui vit le moment présent à fond. À sa demande, nous n'avons pas parlé de son mariage avec Michael Jackson. Par contre, elle m'a longuement entretenue de son époux actuel, Michael Lockwood, avec qui elle a eu des jumeaux. En 2010, elle a quitté la Californie pour l'Angleterre, à la recherche d'un milieu de vie plus sain pour sa famille. À la fin de cette très belle entrevue, elle m'a serrée dans ses bras avec beaucoup d'émotion. Ce ne doit pas être facile de suivre les pas de l'immense légende qu'est devenu son père.

Dans un autre registre, j'ai beaucoup aimé ma rencontre avec Barry Manilow, sur qui nous avons fait un spécial d'une heure pour MusiMax. Il m'avait invitée avec mes sœurs à venir l'entendre à la Place des Arts et à le rencontrer après le spectacle. Gentil, intelligent, professionnel, il sait parler à une journaliste. En entrevue, il nous accorde toute son attention.

D'autres se fichent carrément de nous. J'ai interviewé beaucoup de groupes métal dans ma vie, des expériences généralement fort agréables. À une exception près: Soundgarden. Ils étaient venus à MusiquePlus. À cette époque, je faisais trois et même quatre entrevues par jour. Je me levais à 5 heures et je me couchais très tard, après avoir préparé mes entrevues du lendemain. Donc, deux membres de Soundgarden se pointent sur le plateau. Nous faisions l'entrevue en anglais, et je me tournais vers la caméra pour traduire. À un moment donné, je suis en train de traduire une réponse et… qu'est-ce que j'entends ? Des ronflements ! L'un des deux membres du groupe s'était endormi. Ils avaient dû faire la fête la veille… C'était tellement surprenant que je n'ai même pas été insultée. J'ai dit au type qui ne dormait pas : « Je ne vais pas le réveiller, mais prévenez-moi si je vous dérange. » Nous avons bien ri. Voilà pour Soundgarden.

Vous vous souvenez du groupe Simply Red et de son chanteur, le rouquin Mick Hucknall ? Les Britanniques représentent un défi en eux-mêmes à cause de leur sens de l'humour imprévisible. Pendant l'entrevue en direct à MusiquePlus, il essayait d'enlever ma chaussure ! J'avais l'impression de parler à un petit garçon taquin. Des années plus tard, il m'a raconté tout ce qu'il avait enduré dans son enfance parce qu'il était roux. C'était horrible. À la fin, il m'a dit : « Est-ce que je vous dois de l'argent pour la séance de thérapie ? » J'ai répondu : « Un câlin et un bisou suffiront. » Peut-être ai-je trop parlé. Il m'a invitée à dîner au Club di Salvio, l'endroit le plus hot des années 1980 à Montréal. Je voyais bien qu'il flirtait avec moi. Quand nous sommes sortis de là, il m'a prise par la taille et m'a embrassée… disons profondément. Je l'ai laissé faire, même si je me sentais mal. C'était au début de ma carrière et je voulais être cool, mais tout ce que j'en ai retiré, c'est de la honte.

Je sais que j'aurais pu vivre des moments privilégiés avec plusieurs grandes vedettes d'ici et d'ailleurs, mais ça n'est jamais arrivé. J'ai déjà passé tout un week-end chez Stéphane Rousseau sans qu'il arrive quoi que ce soit, mais il m'a offert un châle noir qui a fait le tour du monde sur mes épaules. Je m'en sers encore. Je n'ai jamais eu l'âme d'une groupie. C'est vrai, je l'avoue, je suis une fille réservée, mais pas une sainte nitouche.

Chez les plus jeunes artistes, je garde un excellent souvenir de ma rencontre avec Alicia Keys à ses débuts. Elle était venue à *Duo Benezra*. J'avais deviné que cette fille brillante et très talentueuse allait devenir une très grande vedette.

Parmi mes souvenirs moins heureux, il y a mon entrevue avec Billy Joel, dont j'adore néanmoins la musique. Pas exactement un gentleman typique. Comment peut-on écrire *I Love You Just the Way You Are* et se comporter comme si on sortait du caniveau ? Dans mon fantasme, Billy Joel était le type d'homme qui embrassait la main des femmes. En réalité, on peut le décrire comme *rough around the edges,* mal dégrossi.

Mais en la matière, personne n'égale la star italienne de la « popéra », Andrea Bocelli, le ténor non-voyant. Je devais l'interviewer dans le cadre d'un spécial de CTV pour le Canada anglais. J'avais déjà animé des spéciaux pour eux avec Céline Dion et Roch Voisine, des productions d'envergure. Mon agent, Barry Garber, l'équipe de tournage et moi nous étions rendus à Vancouver où Bocelli devait se produire en spectacle. Là où nous avions rendez-vous pour l'entrevue, une surprise nous attendait : un membre de son entourage exigeait un paiement. Je ne sais pas si Bocelli était au courant de cette manœuvre, mais heureusement que j'étais assise quand j'ai appris ce qui se passait. Ed Robinson, le grand patron de CTV, qui faisait le voyage avec nous, espérait, comme nous tous, qu'il s'agisse d'un malentendu, que les choses se règlent toutes seules. Mais non. Ils y tenaient. Contrairement à ce que bien des gens pensent, en Amérique du Nord du moins, l'éthique journalistique veut que les artistes ne reçoivent pas de cachets quand ils accordent des entrevues aux médias.

Ce n'était pas tout : certaines personnes de l'entourage de Bocelli avaient aussi demandé qu'on enlève des murs de l'auditorium où il allait se produire toutes les affiches annonçant un spectacle de Sarah Brightman le mois suivant. Or, c'est justement Sarah Brightman qui a révélé Bocelli au monde entier quand il n'était connu de personne et qu'elle l'a invité à chanter avec elle *Time to Say Goodbye.*

Bocelli est monté sur scène avec deux heures de retard, le temps que son entourage s'assure qu'il ne restait aucune affiche de Sarah. On se rappellera que Bocelli est un non-voyant.

Je ne peux pas dire à quel point j'étais déçue par cette situation complètement absurde. L'entrevue n'a donc pas eu lieu et nous sommes rentrés bredouilles à Montréal. Mettons que cela n'a pas aidé ma carrière au Canada anglais, même si ce n'était absolument pas ma faute. Malgré cela, je voudrais bien faire une entrevue avec lui pour que je puisse conclure par moi-même.

Sarah Brightman ne mérite certainement pas d'être traitée de cette manière par quelqu'un qui lui doit sa carrière. Cette femme généreuse apprécie le talent des autres. Tellement que lorsque nous avons fait une entrevue ensemble, elle s'est mise en tête de convaincre son compagnon et producteur de faire un disque avec moi ! Je suis souvent allée manger avec elle. Hors de la scène, sans ses perruques, son maquillage et ses vêtements extravagants, elle est méconnaissable. C'est une femme tout à fait normale ; rien à voir avec la Sarah Brightman qui se produit en spectacle.

Malgré la voix spectaculaire de la soprano, les choses n'ont pas toujours été faciles pour elle. Elle a été mariée à Andrew Lloyd Weber, qu'elle a rencontré pendant une audition pour *Cats*. Il a écrit *The Phantom of the Opera* pour elle, mais les producteurs new-yorkais ne voulaient pas de Sarah Brightman sur scène, parce qu'elle n'était pas connue. Plus tard, son père, qu'elle adorait, s'est suicidé à la suite d'un échec en affaires. On l'a beaucoup critiquée pour être montée sur scène ce soir-là, mais elle a toujours dit que c'était sa manière à elle de s'accrocher, de ne pas sombrer.

Je pense à Harry Connick Jr… Impressionnés par mon entrevue avec lui, les gens de Sony m'ont demandé la permission de l'inclure sur son prochain DVD qui allait sortir dans le monde entier. J'étais flattée malgré *my bad hair day*. De toutes les entrevues que j'ai faites, pourquoi fallait-il que ce soit celle-là qui soit choisie !

Vous souvenez-vous de la chanteuse Ofra Haza ? Sans aucun doute la plus grande star internationale qu'Israël ait donnée à la musique pop. Née dans une famille pauvre dans un quartier encore plus pauvre de Tel-Aviv, Ofra Haza rejoignait tout le monde avec sa musique et avec sa voix : les Juifs, les Arabes, les Européens, les Nord-américains et même les Japonais. Elle est arrivée deuxième au concours Eurovision en 1983. Une femme superbe, comme la plupart des femmes juives originaires du Yémen, dotée d'une voix de mezzo-soprano riche et colorée. En 1992, elle a été finaliste au Grammys pour son album *Kyria*. Elle a chanté avec Sarah Brightman et Paula Abdul, entre autres. Après sa mort en 2000, les gens l'ont un peu oubliée, du moins ici. Pas moi.

La première fois qu'elle m'a vue, à MusiquePlus, elle s'est bien doutée que nous partagions des origines séfarades ;

mon look ne ment pas. Nous sommes devenues copines. Chaque fois qu'elle venait à Montréal, nous allions au restaurant ensemble. Elle rêvait de trouver l'amour et de se marier. Un jour, j'ai appris qu'elle allait épouser un homme d'affaires israélien. J'étais très heureuse pour elle, car je savais l'importance que cela avait dans sa vie. Toute star de la musique pop qu'elle était, elle venait d'une culture très traditionnelle. Elle s'est mariée en 1997.

En 2000, le monde a appris avec stupéfaction qu'elle était morte d'une surdose de drogue. Puis, un quotidien israélien a dévoilé la véritable cause de sa mort : le sida. Son mari lui avait transmis le VIH. On a beaucoup reproché au journal en question, *Haaretz*, l'équivalent du *Devoir* en Israël, d'avoir révélé la vraie raison de sa mort, sachant que cela allait « souiller sa mémoire » au sein de sa communauté. Pourtant, elle voulait seulement être aimée. J'ai eu beaucoup, beaucoup de peine. J'ai tenté de joindre son gérant, Bezalel Aloni, pour lui dire à quel point j'étais atterrée par la nouvelle, mais je n'ai pas pu le retrouver. Je pense encore à elle.

On m'a déjà reproché d'être trop gentille avec les artistes, mais au-delà de leur célébrité, ce sont des êtres humains comme les autres. Ce qui m'intéresse, c'est de toucher et de révéler l'humain, et la gentillesse m'a toujours semblé être la meilleure voie pour y arriver. Ce faisant, je prenais le risque d'être touchée et de nouer des amitiés. Je n'en aurai certainement pas honte.

Il y a des tas de gens que j'aimerais interviewer : Barack Obama, la reine Elizabeth, même si je sais qu'elle n'accorde aucune entrevue, Steven Spielberg et... Oprah Winfrey, mon idole depuis toujours.

Aimer Oprah, c'est comme appartenir à un mouvement. Tout le monde aimerait compter Oprah parmi ses amies, mais pour moi, cela va beaucoup plus loin. Les parallèles entre sa vie et la mienne sont nombreux. J'ai souvent été comparée à elle, même par Tina Turner, une de ses meilleures amies.

Je suis allée la voir au Centre Bell au printemps 2013. Seule sur la scène du Centre Bell, elle a parlé pendant deux heures et demie sans consulter ses notes. C'était spectaculaire. Pourtant, je suis demeurée critique quant à ses propos, surtout lorsqu'elle a affirmé qu'il n'existe aucun lien entre la chance et le succès. Peut-on vraiment dire cela ? Il arrive qu'on se retrouve au bon endroit, au bon moment, strictement grâce à la chance.

J'aimerais l'interviewer et la mettre au défi. Je n'ai jamais lu ni vu une entrevue avec Oprah qui m'a vraiment satisfaite. Peut-être est-ce à cause de mon rêve de la faire, cette entrevue ? Je trouve qu'elle reste en surface. Par exemple, elle ne parle jamais de sa mère, avec qui elle vit une relation difficile. En effet, celle-ci traite sa richissime fille comme si elle n'était qu'une banque ambulante. Oprah dit souvent que l'auteure Maya Angelou, décédée en 2014 à l'âge de quatre-vingt-six ans, lui sert de mère spirituelle. J'aimerais lui demander comment sa véritable mère réagit à ses propos. Tout récemment, Oprah a découvert qu'elle avait une demi-sœur, née après elle et donnée en adoption. Elle s'appelle Patricia, comme son autre sœur. Tant de mystères… Pourquoi ? On en sait plus sur son amie Gail que sur sa famille.

Avant sa « performance » au Centre Bell, j'ai pu la rencontrer dans les coulisses. J'avais apporté une pochette de presse pour me présenter et je voulais lui offrir une robe et une cape de ma nouvelle collection de vêtements. Mais nous n'avions pas le droit de lui remettre quoi que ce soit en mains propres ; tout devait être déposé sur une table. Ça s'est passé si vite. On a pris une photo de nous ensemble, nous avons échangé deux ou trois mots, et puis *bye bye*! J'ai regretté de ne pas lui avoir dit qui j'étais et ce que je faisais dans la vie. De ne pas lui avoir raconté que son amie Tina Turner m'avait comparée à elle, et que j'avais animé une soirée avec son conjoint, Stedman, deux mois auparavant, lors du Festival international du film black de Montréal. Ce sera pour une prochaine fois. Il me reste une photo d'elle et moi.

Chapitre 7

Être juive

J'ai effleuré à quelques reprises ici ma judéité. Je suis séfa-
rade. Ce n'est pas un sujet dont je parle souvent en public.
Enfin, je ne me suis jamais cachée d'être juive – ça fait
partie de moi et je suis ce que je suis –, mais je ne l'ai
jamais crié sur les toits non plus. On ne devrait pas se
concentrer sur nos différences, mais plutôt sur nos simili-
tudes. Cependant, je constate à quel point de nombreux
Québécois, même parmi les plus instruits, manquent d'in-
formation sur les juifs. En entrevue, une animatrice m'a
déjà demandé : « C'est quoi être juif, au juste ? » Un certain mystère plane encore sur la communauté juive, pourtant installée au Québec depuis deux cent cinquante ans.

Petite, je n'avais pas vraiment conscience d'être différente, même si nous avions peu de voisins juifs ; ils étaient
surtout d'origine italienne, grecque et « canadienne-
française », comme on disait alors. Je l'ai dit, même si
les séfarades ont la plupart du temps le français comme
langue maternelle, tous les non-catholiques étaient obligés

d'aller à l'école protestante avec les anglophones. À l'école primaire, plusieurs de mes camarades de classe étaient donc juifs. Au secondaire, mon école était surtout fréquentée par des Noirs anglophones, mais à cet âge, la couleur, la religion et l'origine importent peu. À l'université, on m'a reproché mon apparence trop « ethnique » pour le théâtre, mais pas ma religion. Ce n'est qu'une fois sur le marché du travail que j'ai pris conscience de ma différence, car bien des gens du milieu me percevaient comme une entité bizarre, un être à part.

Je n'ai jamais été victime d'antisémitisme clairement exprimé, mais on m'a fait des commentaires stupides et, oui, il m'est arrivé de me retrouver dans des situations inconfortables. Toute ma vie, je me suis sentie déchirée. Entre mon identité anglophone et mon identité francophone. Entre ma culture juive et ma culture québécoise. Entre le fait d'être une Québécoise née au Québec, et le fait d'avoir des parents et des sœurs venus du Maroc. Ces déchirements sont lourds à porter.

Jean-Pierre Coallier m'a déjà posé la question suivante en ondes : « Trouvez-vous normal qu'on demande aux immigrants de parler français ? » Je pense que ma réponse l'a surpris : « Avant de leur demander s'ils parlent français ou anglais, pourquoi ne pas montrer un peu de compassion pour des êtres humains qui quittent leurs pays dans l'espoir d'offrir une vie meilleure à leurs enfants ? Et si on leur demandait comment on peut leur venir en aide avant de leur demander de parler telle ou telle langue… » Les questions identitaires et religieuses, la diversité culturelle, l'intégration des immigrants ne sont pas des sujets théoriques ou désincarnés pour moi. Je ne peux répondre qu'à partir de ma propre expérience.

Je crois en Dieu et j'ai beaucoup de respect pour les traditions de ma religion, mais je ne peux pas me décrire comme très pratiquante. En fait, je trouve que je ne suis plus une bonne juive. Je prie moins qu'avant et je me tourne moins souvent vers Dieu, ce qui attriste ma mère et ma sœur Esther. Ma mère, par contre, n'a jamais cessé de manger casher, de suivre les règles alimentaires juives et de «faire shabbat». Elle respecte à la lettre la période de repos qui débute au coucher du soleil le vendredi soir pour se terminer à la tombée de la nuit, le samedi. Pendant vingt-cinq heures, les juifs du monde entier qui «font shabbat» ne travaillent pas, ne font pas la cuisine – tout est déjà préparé –, ne se déplacent qu'à pied, ne vont pas faire des courses, n'utilisent ni le téléphone ni l'électricité et se servent de minuteries préréglées pour éclairer leurs maisons. Ce sont des moments consacrés à la famille. Nous mangeons, buvons, chantons. Certains, les hommes surtout, se rendent à la synagogue. Nous revêtons nos plus beaux habits et nous sortons notre plus belle vaisselle. C'est très joyeux.

Plusieurs de mes meilleurs souvenirs d'enfance sont reliés au shabbat et aux jours de fête. La veille du shabbat, le jeudi soir, ma mère préparait des repas très élaborés pour le vendredi soir et le samedi. Elle faisait elle-même le pain du shabbat, le challah, ce fameux pain tressé aux œufs. Des odeurs divines flottaient dans la maison.

Mes sœurs et moi avions des tâches à accomplir. Myriam héritait du gros du ménage – elle possède le don de tout faire briller –, et j'essayais d'y participer, mais je suis désordonnée de nature… J'étais responsable de cirer les chaussures de mon père pour l'occasion. Le vendredi soir, la maison était propre comme un sou neuf. Nous habitions au cœur du Côte-des-Neiges des immigrants, alors il va sans dire que le luxe n'avait pas de place dans nos vies.

Pourtant, quand arrivait le shabbat, mon père mettait sa plus belle cravate pour aller à la synagogue, et nos vies prenaient des allures de fête. Un calme particulier s'installait. Ma mère allumait les bougies, le rituel qui marque le début du repos hebdomadaire. Lorsque mon père revenait de la synagogue, nous passions à table pour déguster les plats de shabbat traditionnels des juifs du Maroc : les boulettes de poisson épicées, le poulet, la salade de tomates cuites, les aubergines. La salle à manger brillait de tous ses feux. Un moment de magie renouvelé tous les vendredis soir. Ma mère nous donnait toujours les plus beaux morceaux de poulet. Aujourd'hui, je suis comme elle : je me sentirais coupable de garder le meilleur pour moi. La culpabilité, le cadeau universel légué par toutes les mères juives à leurs filles, ce n'est pas une légende.

Il va sans dire que nous devions demeurer à la maison le vendredi soir, sans exception. Tant que le shabbat n'était pas terminé, nous ne pouvions pas nous servir du téléphone ni utiliser un séchoir à cheveux même si nous sortions le samedi soir. Je n'ai jamais contesté ces règles, qui faisaient partie de notre vie. Papa retournait à la synagogue le samedi matin et ramenait des tas d'amis pour l'apéritif. La maison était souvent remplie de monde pour shabbat. Il n'était pas rare que nous recevions des visiteurs de Toronto ou d'Israël.

J'aime encore le shabbat. Le vendredi soir, quand je suis chez moi, je vais manger chez ma mère avec Esther. Myriam et Kelly ont perpétué la tradition du shabbat avec leurs familles. C'est le moment le plus serein de la semaine.

Le shabbat, les fêtes et surtout la pâque, rien n'a plus jamais été pareil après la mort de papa. La famille est la chose la plus importante dans la culture juive.

Malgré mon attachement sincère aux traditions et aux rituels, je me sens parfois loin de Dieu. J'ai l'impression de l'avoir déçu. Esther me demande souvent ce qu'il est advenu de ma foi, de mes rêves. Je crois et je prie, mais pas autant qu'avant. Comme si ma foi avait été abîmée au fil des ans. La foi, c'est comme un muscle dont je ne me sers pas assez.

Je ne pourrais pas vivre comme les juifs orthodoxes, mais, dans un petit coin de mon âme, je les envie un peu. Ils savent accepter les épreuves de la vie comme un don de Dieu, convaincus que Dieu a tout planifié. Je n'ai pas une telle foi.

Petite, ma foi était pure. Je n'ai pas touché à un aliment non casher avant l'âge de quinze ans. Je croyais que j'allais mourir si je mettais du bacon ou des crevettes dans ma bouche (les règles casher interdisent le porc, les fruits de mer et tout mélange de viandes et de produits laitiers). Un jour, mes parents ont emmené ma sœur Myriam et moi au restaurant, croyant qu'on y servait de la nourriture casher. Je me souviens du resto : Le Gourmet, au centre commercial Wilderton sur la rue Van Horne. Nous avions mangé du *smoked meat*. C'était bon – qui n'aime pas le *smoked meat*? –, mais ce n'était pas casher. Seulement *kosher style*, une expression qui veut dire « cuisine juive d'Europe de l'Est ». En fait, c'était un *delicatessen* bien ordinaire, comme il y en a dans la plupart des centres commerciaux du Québec. Vous voyez ce que je veux dire : un de ces restaurants qui décorent leurs vitrines avec de gros pots de piments rouges.

Quand j'étais enfant, pour la majorité des gens de mon entourage, manger de la viande non casher, c'était péché. Quel effet cela pouvait-il avoir sur notre âme? Dieu seul le savait, mais nous le redoutions! Ne riez pas : à l'époque, les catholiques qui mangeaient de la viande le vendredi ou des bonbons pendant le carême commettaient eux aussi un grave péché alimentaire… Même si aucun membre de ma famille n'a été frappé par la foudre à cause de notre transgression bien innocente, nous ne sommes jamais retournés au resto Le Gourmet. Depuis, j'ai appris le vrai sens du mot gourmet. Rien à voir avec le *smoked meat*, casher ou pas.

Je ne sais pas trop où j'en suis avec la religion, mais j'en suis venue à croire que si Dieu ne m'a pas donné tout ce que je désire dans la vie, il m'a donné tout ce dont j'ai besoin, même un petit coup de pied au derrière. Je devrais peut-être lire les dépliants que ma sœur rapporte de ses cours de Torah et qu'elle glisse sous ma porte…

Je devrais peut-être aussi retourner en Israël, à la source. J'ai beaucoup de famille là-bas. Je connais bien le pays, puisque je le visite régulièrement depuis l'âge de huit ans, quand ma mère m'a emmenée en convalescence, avec ma sœur Esther. Mon premier voyage en Israël a changé ma vie. Je faisais mon baptême de l'air. Nous devions faire une correspondance à Bruxelles. Une fois là, un employé de la ligne aérienne nous a informées que nos billets pour Tel-Aviv n'étaient pas valides ; nous nous étions fait arnaquer. On a offert de nous ramener à Montréal, mais j'ai persuadé ma mère et ma sœur de trouver une solution. Je voulais absolument me rendre en Israël. Je ne me rappelle plus comment ma mère a réglé le problème, mais nous avons fini par prendre l'avion vers la terre que ma mère m'avait promise. Nous sommes restées là-bas un mois, le temps des vacances. J'ai appris beaucoup d'hébreu, que j'ai oublié depuis. J'étais si heureuse de me retrouver avec mes cousins, mes cousines, ma grand-mère !

Je découvrais qu'il y avait tout un monde au-delà de la rue Barclay.

Le magazine *Le Lundi* a déjà réalisé un grand reportage sur ma famille en Israël. Du jamais vu. Pour la une du magazine, le photographe Charles Richer s'est rendu là-bas et m'a photographiée devant le mur des Lamentations, que nous appelons le Kotel (le mur, en hébreu). Puis, nous sommes allés à Beït Shemesh, où habite une grande partie de ma famille, pour photographier ma grand-mère. Elle qui n'avait jamais porté de maquillage de sa vie m'a laissée lui mettre un peu de poudre et du rouge à lèvres rose pâle. Elle portait une robe bleu marine que je lui avais offerte. Je l'ai toujours ; ma cousine Zehava, dont le prénom signifie « or » en hébreu – et ça lui va à merveille –, me l'a envoyée après la mort de grand-mère. Je n'ai jamais rencontré quelqu'un d'aussi généreux de ma vie.

On me demandait récemment quelles étaient mes possessions les plus précieuses. Cette robe en fait partie. Il y a aussi l'invitation au mariage de mes parents, qui est intégrée à ma table de salle à manger en verre faite sur mesure, la bague de mon père, une lettre de ma mère et toutes les lettres de ma nièce Alexandra. Sans oublier mes MetroStar et mes Gémeaux, bien entendu.

Quand j'ai signé mon premier contrat à TQS, j'ai oublié de demander congé pour la fête de Yom Kippour. J'ai donc travaillé comme prévu même si je devais jeûner pendant vingt-cinq heures. Mon équipe se faisait du mauvais sang pour moi. Éric Tessier, mon régisseur de plateau, avait préparé un plateau avec des craquelins, des toasts melba, du fromage et du café, pour que je puisse manger dès que cela deviendrait possible. Ça s'appelle des accommodements gentils.

L'année suivante, j'ai fait inclure le Yom Kippour dans mon contrat.

J'ai aussi gardé mon nom, même si on m'a suggéré au début de n'utiliser que mon prénom, sous prétexte que les Québécois n'arriveraient jamais à prononcer Benezra. Aujourd'hui, tout le monde m'appelle par mon nom au long. Mon père n'a peut-être pas eu de fils, mais son patronyme a survécu.

Papa aurait été fier de moi, comme de toutes ses filles.

Je suis moi-même très fière de pouvoir dire que je n'ai pas vendu mon âme au diable pour connaître le succès. J'ai conservé mon identité, mon intégrité, même si on a voulu me faire comprendre dès le départ que le public n'accepterait peut-être pas ma tignasse de cheveux noirs frisés, mes lèvres rouges pulpeuses, mes épaulettes géantes et mes boucles d'oreilles assez voyantes pour décorer l'arbre de Noël du Rockefeller Center à New York. J'ai réussi ma carrière dans le show-business en restant moi-même.

Dans ma famille, il y a des saints et des saintes. Je pense à mon cousin Nissim et à sa mère, Tita Biba, ma tante Viviane adorée qui a marqué mon enfance. Je l'ai raconté, après leur arrivée au Canada, tante Viviane et oncle Max ont eu trois enfants, Abie, Judith et Nissim. Comme nous avons tous vécu dans le même immeuble pendant quinze ans, nous sommes comme frères et sœurs.

Nissim a cinquante-trois ans aujourd'hui. À vingt ans, il a reçu un diagnostic de sclérose en plaques. Toutes nos vies ont été bouleversées par sa maladie ; nous n'avons plus jamais ressenti de la joie de la même manière. Nissim est cloué à son lit depuis l'âge de trente-cinq ans. Sa mère, tante Viviane, s'occupe de lui à temps plein depuis plus de trois décennies. Cette femme est pour moi l'ultime exemple du sacrifice et du don de soi. Elle est au chevet de Nissim jour et nuit. Je ne l'ai jamais entendu se plaindre ou souhaiter une vie différente. Pour moi, tante Viviane représente la bonté incarnée. Oncle Max, le père de Nissim, est un ange envoyé sur terre ; quand papa est mort, il a tout mis en œuvre pour nous venir en aide.

La maladie de Nissim a atteint un stade avancé. Il ne peut plus rien faire par lui-même. Pourtant, il ne se plaint jamais. Bien d'autres dans la même situation voudraient partir. Pas lui. Il est croyant. Il porte sa kippa. Il continue de répandre la bonté autour de lui. Il peut à peine parler, mais quand une infirmière vient lui faire un soin, il flirte un peu avec elle : « Mon Dieu que vous êtes belle ! Merci. » Il n'est même pas en colère contre la vie. Jamais il ne demande « Pourquoi moi ? » Je vois qu'il souffre et qu'il en a assez. Sa femme l'a quitté à cause de sa maladie même si elle l'a épousé sachant qu'il était atteint de sclérose en plaques. Malgré toutes ces épreuves, il aime nous rappeler que son nom, Nissim, veut dire « miracle » en hébreu.

Je lui rends visite régulièrement, mais jamais assez souvent. Son courage m'inspire, l'abnégation de ma tante m'inspire, la générosité de mon oncle m'inspire. Pourtant, malgré ces exemples, il m'arrive de me laisser aller au cynisme, même si je n'ai jamais traversé d'épreuves aussi terribles que celles que subit mon cousin Nissim tous les jours de sa vie. Toutefois, je ne suis jamais triste quand je suis avec lui ; il m'enveloppe de son aura. Récemment, j'ai traversé une période de déprime. Le jour le plus heureux des six derniers mois ? Celui que j'ai passé au chevet de Nissim. En sa présence, je deviens une meilleure personne.

Je crois que ce livre va dévoiler des côtés insoupçonnés de ma personnalité. J'ai toujours projeté l'image d'une femme qui prend la vie du bon côté, très (trop?) gentille, qui appelle tout le monde «chéri» et « *sweetie*». Tout ça, c'est moi, mais ce n'est pas tout ce que je suis. Il m'arrive de devoir faire semblant d'être heureuse. Pour ne pas décevoir.

Rien ne me rend plus triste que de manquer d'égards envers quelqu'un. Je suis déjà revenue m'excuser auprès d'un vendeur à qui j'avais montré de l'impatience, parce qu'il avait refilé à une autre un manteau qu'on devait avoir mis de côté pour moi. Oui, je l'avoue, il m'arrive de céder à la colère. Révélation! Sonia Benezra n'est pas toujours *sweet*…

L'enfant heureuse de jadis existe encore au fond de moi, mais elle a vu et vécu beaucoup de choses au cours des cinquante dernières années. Je suis devenue plus introspective, introvertie même. Je me questionne beaucoup sur la vie, sur ma vie et sur ma mission sur terre. J'en suis venue à croire que j'ai reçu le rôle de venir en aide aux gens dans le besoin, de faire preuve de compassion pour ceux qui souffrent. Rien ne me fait plus plaisir que d'aider quelqu'un ou de lui donner quelque chose.

Un jour, rue Saint-Hubert, j'ai vu une boutique de mariage qui allait fermer ses portes. Toutes les robes de mariées étaient soldées à 99 dollars. J'en ai acheté cinq sur un coup de tête, en me disant que je finirais bien par trouver des femmes dans le besoin à qui les offrir. Elles ont toutes trouvé preneuses. Quel bonheur que de pouvoir offrir une robe de mariée à quelqu'un qui n'a pas les moyens de s'en payer une! Mon père disait toujours: « La seule chose qui t'appartient vraiment, c'est ce que tu as donné aux autres. » C'est mon credo.

Les gens disent que l'argent ne fait pas le bonheur. C'est en partie vrai, mais en partie seulement. L'argent achète la paix d'esprit; les gens qui n'en ont pas me comprennent... Comme l'écrit le pasteur américain Rick Warren dans son ouvrage *The Purpose Driven Life* (en français, *Une vie motivée par l'essentiel*) : « Ce n'est pas un péché que d'être riche. C'est un péché de mourir riche. »

Pendant plusieurs années, j'ai été la porte-parole de Vision mondiale Canada, à la demande de cette organisation d'entraide qui avait contacté mon agent Barry. J'ai choisi l'Afrique du Sud en grande partie à cause de Nelson Mandela et de ce que cet homme a fait pour son peuple, pour lui redonner fierté et dignité. En 2002, Barry, ma sœur Kelly et moi y sommes allés. Professeure en arts, Kelly avait rempli sa valise de crayons de couleur pour les petits. J'ai rencontré des enfants aux prises avec le sida, grand fléau dans ce pays. Barry et moi avons créé une bourse d'études pour une jeune fille, Joey, qui venait de perdre sa mère. Elle était orpheline. Par la suite, j'ai eu la chance de marrainer deux magnifiques filles, Puleng et Malefu. Elles sont grandes maintenant, mais nous restons en contact.

Je crois être ce que certains appellent « une vieille âme ». Je ressens certaines choses plus intensément que je le devrais. Un peu comme Leonard Cohen, qui avait ressenti ma peine pendant une entrevue. Récemment, mon amie Eliane a perdu sa sœur Ruth à cause du cancer. Ruth n'avait que quarante-neuf ans, et elle a laissé dans le deuil son mari, ses trois enfants, ses sœurs et son père. J'ai eu tellement de chagrin pour eux que pendant les dernières semaines de sa vie j'arrivais à peine à fonctionner. J'ai appris son décès à Québec, pendant que j'animais le spectacle *Le Retour de nos idoles*. Il me restait un spectacle à faire, celui du samedi soir. J'ai demandé qu'on me ramène à Montréal tout de suite après. Les funérailles étaient prévues pour dimanche. Dans la tradition judaïque, on enterre le défunt le lendemain de sa mort, sauf si c'est le shabbat.

Comment ai-je réussi à sourire sur scène, à animer la soirée ? Je ne sais pas. J'étais portée par toutes ces années d'expérience. Les gens comptaient sur moi, je devais faire mon travail. Avant mon départ de Montréal pour Québec, je sentais que Ruth allait bientôt nous quitter. Le mercredi précédant sa mort, pendant que je lui massais les jambes et les bras, elle m'a dit : « Mais qu'est-ce que je fais ici ? » LA question ! Que faisons-nous ici ? Dieu seul le sait.

Je l'ai dit et je suis heureuse de pouvoir le répéter, la famille et les êtres chers, rien n'est plus important dans ma vie. Ni la carrière ni le succès, rien. Mon équilibre repose sur les gens que j'aime et qui m'aiment.

La souffrance de ma meilleure amie m'a bouleversée, mais sa force continue de m'inspirer.

Chapitre 8

Mon corps, ma bataille

Mon corps, mon poids, le combat de toute une vie. Si je n'avais pas fait carrière à la télé, peut-être que j'aurais eu des tas d'enfants et que j'aurais grossi sans que mes rondeurs me dérangent un seul instant… Pourtant, si jamais je trouve une bouteille avec un génie dedans, mon premier vœu sera de pouvoir manger n'importe quelle quantité de n'importe quoi sans prendre de poids. Ça peut sembler futile. Je serais censée souhaiter la paix dans le monde, mais ça viendrait en second.

Enfant, je n'étais pas consciente de ma physionomie. Je rêvais d'apprendre le ballet. Mes parents m'ont payé des cours de danse classique, un privilège qu'ils n'ont pu accorder à mes sœurs parce qu'ils n'en avaient pas les moyens. La vérité, c'est que je n'avais pas du tout le corps pour le ballet classique. Ni pour porter un justaucorps rose pâle. Mais chaque semaine, j'étais vraiment heureuse d'enfiler mes collants roses et les souliers de ballerine que mon père m'avait offerts! Le professeur me plaçait toujours devant la classe. Pas pour servir de modèle par ma grâce ou mon talent, mais parce que j'y mettais tout mon cœur. Pour le reste, je n'avais rien d'une ballerine, croyez-moi. Je n'étais pas grosse, mais potelée et joufflue. Ronde, quoi.

J'ai hérité de la physionomie de ma mère. Désolée, maman…

Quand j'étais petite, ma sœur Kelly travaillait dans une boutique pour enfants appelée Jordy's, au centre commercial Wilderton, tout près de la maison. Lorsque je suis sortie de l'hôpital à huit ans, maman a voulu m'acheter des vêtements neufs pour notre voyage en Israël. Kelly savait d'instinct ce qui m'allait bien et ce que je devais éviter. Avec sa douceur habituelle, elle me dirigeait vers le bon présentoir, là où se trouvaient les vêtements pour moi, mais sans jamais me faire sentir que j'étais plus ronde que la moyenne. Jamais elle n'a dit : « Ils n'ont pas ta taille » ou « Tu ne peux pas porter ça ». Elle me chuchotait plutôt : « Viens voir ce que j'ai trouvé, c'est tellement plus joli. »

Ma sœur Esther se permettait des commentaires plus directs. Par exemple, à l'adolescence, si je portais un décolleté, elle ne se gênait pas pour me dire le fond de sa pensée. Esther a toujours eu un petit côté réservé, presque *british*. J'ai dû porter des tas de choses qui ne m'allaient pas du tout. Comme toutes les adolescentes.

Le Dr Marcus, notre pédiatre, me disait à chaque visite : « Pourquoi n'es-tu pas mince comme ton amie Joëlle ? » Joëlle n'avait pas du tout la même morphologie que moi ; elle était beaucoup plus petite que moi. Je détestais les visites chez ce médecin. Je me sentais mal chaque fois que je devais monter sur le pèse-personne. Je n'étais pas consciente d'être ronde avant que le Dr Marcus ne me fasse me sentir grosse. À huit ans.

J'ai toujours aimé la nourriture. Quand j'étais petite, mon père adorait me regarder manger tellement j'y prenais plaisir… surtout si on me servait mon plat préféré, du steak. À cinq ans, j'ai eu un accident en jouant. Je courais pour rattraper une balle dans notre superbe cour aux allures de terrain vague et je suis tombée, la tête la première. Quand je me suis relevée, j'ai vu qu'une pierre s'était incrustée dans mon poignet gauche. Je ne sais pas si c'était la douleur ou l'horreur de voir un caillou pendre au bout de mon bras, mais j'ai couru vers la maison comme je n'avais jamais couru avant et comme je n'ai jamais couru depuis.

Papa m'a conduite à l'hôpital en taxi – ma mère devait rester à la maison avec mes sœurs. Il avait l'impression que mon bras était fracturé. Nous avons attendu près de huit heures à l'urgence. Papa avait vu juste, j'avais le bras cassé à trois endroits. On m'a fait un plâtre gigantesque. Nous sommes revenus à la maison vers 23 heures, et papa a demandé à ma mère de me faire cuire un steak. J'étais à moitié endormie, mais ma bouche, elle, était bien réveillée.

La nourriture tenait un rôle de premier plan dans notre famille, comme dans la plupart des familles méditerranéennes. La première chose que ma mère me demande quand elle me voit est: « As-tu mangé? » Petite, je ne me souviens pas de m'être contentée d'un sandwich pour souper. Ma mère, qui travaillait à temps plein en plus de fréquenter l'école, nous préparait un repas chaud tous les soirs. Je ne sais pas comment elle réussissait à tout concilier.

J'avais vingt ans quand on m'a diagnostiqué une hypothyroïdie, un dérèglement de la glande thyroïde qui favorise la prise de poids. J'aime la nourriture et mon sens du goût est surdéveloppé. Ma mère se sert toujours de moi comme cobaye pour vérifier l'assaisonnement de ses plats. Je goûte tout. Quand je mange, je prends mon temps. Je suis du genre à déposer mon sandwich entre chaque bouchée pour mieux le savourer. Je mets un temps fou à terminer mon assiette. Très longtemps, j'ai vécu pour manger et non l'inverse.

Vers l'âge de douze ans, je me suis pâmée pour un bikini bleu marine en tissu ciré. Il me le fallait. Déception : il n'existait pas dans ma taille. Tout l'été, j'ai dû me contenter d'un affreux deux-pièces, le seul qui m'allait. Le bas, éléphantesque, était rose fuchsia. A-t-on idée d'habiller des petites filles potelées avec de telles horreurs ! La mère de mon amie Shirley, que je croisais à la piscine publique, avait acheté à sa fille le bikini ciré marine. Je la revois en train de manger une crème glacée, mince comme un fil dans le bikini de mes rêves. Nous connaissons toutes une Shirley… Cette année-là, j'ai compris qu'il y avait beaucoup plus de choix pour les filles minces dans les magasins. Je n'étais pas grosse. Mais pas mince non plus.

Kelly et Esther ne se sont jamais battues avec leur corps. Elles ont hérité de la morphologie de papa, qui était grand et mince. Pour Myriam et moi, ce fut un combat de tous les instants. Myriam a été la première fille Benezra à faire une diète. À onze ans, elle s'est inscrite chez Weight Watchers, et ils l'ont acceptée, ce qui m'apparaît insensé aujourd'hui. Elle a perdu beaucoup de poids. Moi aussi, j'ai essayé Weight Watchers. J'y allais, j'arrêtais, j'y allais… Je n'ai jamais atteint mon poids idéal. J'ai tout essayé : la diète de la soupe au chou, la diète Atkins, la diète du Dr Scarsdale et la pire diète qui soit, ne pas manger du tout. Aujourd'hui, la science nous enseigne que sauter des repas et faire des diètes yoyo créent des problèmes de surpoids.

J'ai dû attendre de faire la connaissance de Jenny Craig pour régler le problème une fois pour toutes. Me faire peser une fois par mois par ma conseillère m'a gardée dans le droit chemin pendant trois ans et demi. Mon contrat avec Jenny Craig s'est terminé quand l'entreprise a été vendue fin 2013. Le vrai test a commencé alors, mais jusqu'ici tout se passe très bien.

Je n'ai jamais été attirée par la drogue. Je n'ai fumé que deux bouffées de marijuana dans ma vie et j'ai raté un avion pour New York le lendemain matin parce que je ne me suis pas réveillée à temps. Ma drogue à moi s'appelle nourriture.

Je mangeais avec un pied sur le frein. Je n'étais pas le genre à engouffrer une *pizza all dressed* suivie d'une boîte de beignes. Pas de pizza, pas de *smoked meat*. Quand nous étions à MusiquePlus, mon amie Marie-Claude Geoffrion se faisait livrer de la pizza pepperoni fromage par le restaurant d'en face. Pas moi, oh que non ! Je me souviens encore de l'odeur. J'aimais la nourriture, mais j'étais en guerre ouverte avec elle.

Je suis plus salé que sucré, mais j'adore le chocolat, le bon chocolat, miam ! Mon père offrait souvent des chocolats importés, haut de gamme, à maman. Nous savions si elle appréciait vraiment ses invités quand elle sortait sa boîte de chocolats fins. Elle le nie à ce jour, mais…

Je n'ai jamais été filiforme, cependant je ne me voyais pas telle que j'étais vraiment, non plus. Quand je regarde des photos de moi prises pendant les années 1990, à l'époque de mon talkshow, je ne peux pas croire que je me trouvais grosse à l'époque !

Vers la fin de la quarantaine, quand sont apparus les premiers signes de la préménopause, morphologie ou pas, j'ai dépassé mon poids santé. Un signe qui ne ment pas ? Quand on commence à avoir du gras dans le dos. J'étais consternée. Puis, un jour, une femme que je ne connaissais pas est venue, tel un ange, changer ma vie.

Je faisais encore ma chronique à *Deux filles le matin* quand j'ai commencé à recevoir des appels d'une femme qui voulait me parler de mise en forme. Mon sujet préféré... J'ai fini par la rappeler parce que je suis polie. À mon corps défendant, j'ai accepté de la rencontrer à son bureau sur la rue Laurier. Elle s'appelait Mia Girard. Elle habite maintenant New York. Je pensais qu'elle allait m'offrir un soin, comme un massage. Je me suis dit : « Je vais accepter ce massage, et ensuite ce sera merci et *bye bye* ! »

Tout s'est passé comme dans un flou. Je me revois en culotte, en train de me faire peser et mesurer par elle. Je n'étais pas montée sur un pèse-personne depuis des années. J'ai failli mourir en voyant le chiffre. Le choc. Je lui ai demandé si elle avait un autre pèse-personne. J'ai eu peur. C'est à ce moment que j'ai pris conscience de la réalité.

Elle m'a dit : « Vous allez commencer à faire de la marche, et vous allez suivre mes instructions à la lettre. Je vous ai vue chez Chapters et j'ai pensé "Cette femme habite le mauvais corps". » Elle a continué à m'appeler, à m'encourager. Je suis allée marcher avec elle sur la montagne quatre fois par semaine. C'était les vacances de Noël, j'étais en congé, j'avais le temps, mais j'essayais toujours de me défiler. Un jour, je l'ai appelée pour lui annoncer une catastrophe : il neigeait ! Du tac au tac, elle m'a répondu d'une voix monocorde « Tu ne fondras pas » et m'a raccroché au nez. J'y suis allée. Elle m'a aussi donné un plan alimentaire, non négociable, à suivre.

Je savais que j'étais en train de vivre quelque chose d'important. J'ai dû abandonner mes beaux manteaux, mes bottes à talons hauts, mon maquillage pour affronter cette nouvelle étape dans ma vie. Encore aujourd'hui, je n'arrive pas à croire qu'elle m'a fait monter à la course les escaliers qui mènent au chalet de la Montagne, et plus d'une fois. J'ai constaté que je ne connaissais pas vraiment le Mont-Royal. J'ai découvert un univers parallèle magnifique, peuplé de marcheurs, de joggeurs. J'aimais entendre le son de mes bottes de marche sur la neige. Je ressentais beaucoup de paix et de fierté après chaque marche.

J'ai perdu onze livres en une semaine grâce à elle. Beaucoup d'eau au début, ce qui est normal, mais quand même. Je n'avais jamais perdu plus d'un kilo en entreprenant un régime et, quand je suis revenue à *Deux filles* en janvier, je m'étais délestée de dix-sept livres.

Comme j'avais cru que je n'allais pas grossir à ma préménopause, j'avais fait l'erreur de croire qu'il était impossible de perdre du poids pendant la ménopause.

J'étais sur cette belle lancée quand mon agent a reçu un appel de l'entreprise Nestlé, propriétaire, à l'époque, de Jenny Craig. Je crois que Mia m'avait préparée, sans le savoir, pour cette nouvelle étape de ma vie. J'ai été sa dernière « victime » avant son départ pour New York. Du fond du cœur, merci mille fois, Mia.

Comme son nom l'indique, l'entreprise a été créée par l'Américaine Jenny Craig. Quand je me suis jointe à l'équipe, la société Jenny Craig appartenait à la multinationale suisse Nestlé. J'ai d'abord cru qu'on voulait m'offrir de faire la publicité d'une marque de chocolat. Imaginez ma surprise quand on m'a demandé si je voulais devenir la porte-parole de Jenny Craig au Canada ! Aux États-Unis, les actrices Kirstie Alley et Valerie Bertinelli ont longtemps représenté la marque.

Des gens m'ont demandé si j'avais été insultée par l'offre de Jenny Craig. Il va sans dire qu'on ne m'a pas choisie pour ma minceur, mais parce que je suis un *work in progress*... comme une œuvre d'art.

Entre mes sorties à la montagne et le programme de Jenny, j'ai perdu vingt et un kilos au total. Je n'ai pas repris de poids. Je mange différemment et mieux, mais je préfère encore les grosses portions. Je ne veux surtout pas avoir faim. Par exemple, quand je me prépare une salade à la maison, on pourrait penser qu'elle est destinée à quatre personnes. Je mange cinq fois par jour, trois repas et deux collations. J'adore les barres énergétiques de Jenny Craig au beurre d'arachide, miel et chocolat. Même si je ne travaille plus pour eux, j'en ai toujours deux dans mon sac. Une pour moi, l'autre pour un ami ou pour un sans-abri. Qui suis-je pour les juger ? Il m'arrive de leur offrir un repas. Je ne peux rester là sans rien faire. Je leur parle. Je les regarde dans les yeux en me disant qu'un jour ils ont été le bébé de quelqu'un.

J'ai reçu beaucoup de soutien de la part de mes proches et j'adore qu'on m'arrête dans la rue pour me compli-menter, m'encourager et me demander des conseils. Par-fois, il arrive que des gens, surtout des gens du milieu, me demandent : « Tu n'as pas repris ton poids ? » J'ai tou-jours envie de leur répondre : « Je vous appellerai si ça arrive. » Par contre, je suis très heureuse d'avoir conservé mes courbes féminines.

Je suis consciente que mon corps a changé, mais je continue d'acheter des chandails trop grands pour moi. Je demande souvent aux vendeuses « L'avez-vous en grande taille ? » Je me fais répondre : « Vous n'êtes pas logique, madame Benezra. » Et si j'achète un vête-ment ajusté, je l'essaie à quelques reprises pour être bien certaine qu'il me va. J'ai beau aimer mon corps, j'aime aussi mon confort. Je n'abandonnerai jamais mes grands chandails.

Je ne sais pas s'il y a un lien entre le fait d'aimer à nouveau mon corps et la réalisation de mon rêve de dessiner ma collection de vêtements, Les essentiels de Sonia. Ça ne me semble pas impossible…

Tout a commencé en 2011, quand j'ai représenté brièvement une collection de bijoux à Shopping TVA. J'ai aimé l'expérience. Comme j'ai toujours rêvé d'avoir ma propre collection de vêtements, j'ai fait réaliser des échantillons que j'ai présentés aux dirigeants de Shopping TVA. Cette fois encore, je savais que ma vie allait prendre un nouveau tournant.

Ma mère était une couturière et une dessinatrice de mode d'envergure. Durant sa jeunesse au Maroc, elle aidait ses parents à subvenir aux besoins de la famille grâce à son don pour la couture et la confection. En plus de réaliser pour ses filles des vêtements extraordinaires, maman a dessiné et confectionné les robes de mariées de Myriam et Kelly. Grâce à son talent unique, nos vêtements nous permettaient de projeter l'image de filles de familles aisées. Tout le contraire de la réalité.

À douze ans, j'ai demandé à ma mère de me faire un manteau. J'avais l'œil sur un rouleau de velours bleu nuit que mon père avait apporté à la maison ; je me voyais déjà dans ce grand manteau telle une héroïne russe du XIXe siècle. Vous ai-je dit que j'ai toujours été une grande rêveuse ? Maman m'a donc confectionné un manteau maxi en velours bleu nuit avec des boutons dorés et un capuchon de fourrure véritable. Je l'ai aimé à la folie, ce manteau. Maman a toujours dit qu'elle préférait coudre pour moi, qui savais exactement ce que je voulais, que pour mes sœurs qui hésitaient et tergiversaient.

J'ai souvent porté des créations Perla Benezra lors d'événements mondains ou à la télé. Comme Beyonce, qui a longtemps porté exclusivement les créations de sa mère. Ma collection de vêtements n'est pas qu'un moyen d'expression artistique ou une façon de gagner ma vie, elle me permet de rendre hommage à ma mère et d'exploiter ma connaissance du vêtement. Je n'ai jamais étudié dans ce domaine, mais j'ai acquis une expertise grâce à des milliers d'heures passées à regarder maman travailler et à faire les boutiques, ma passion et mon passe-temps préféré. J'adore fouiner dans les magasins, ici comme en voyage. Je peux tout trouver pour n'importe qui et à n'importe quel prix. Je connais tous les employés de tous les magasins de la rue Sainte-Catherine. Il m'arrive de leur dire : « S'il vous plaît, mettez-moi dehors. »

Ne le dites à personne, mais je vais toujours magasiner le samedi avec mon amie Eliane ainsi que mes sœurs Esther et Kelly. Aujourd'hui, par contre, je suis fière de moi quand je rentre à la maison les mains vides. Je ressens moins le besoin de consommer.

Pour réaliser Les essentiels de Sonia, je me suis associée à un manufacturier de la rue Chabanel et je me suis mise au travail. Je ne fais pas que mettre mon nom sur une étiquette ; j'ai tout conçu. Mon inspiration ? Ce que je ne trouve pas dans les magasins : des vêtements à la fois élégants, classiques et sexy comme la parfaite petite robe noire de la bonne longueur. De plus, ces vêtements sont fabriqués ici, pas dans des usines de fortune à l'étranger.

J'ai aussi inventé – oui, oui, inventé – une nouvelle façon de couvrir les bras des femmes sans qu'elles aient à s'empêtrer dans des châles ou des pashminas qui glissent tout le temps. Cette invention que j'ai appelée A-bras-cadabra, est un mariage entre une cape et des manches qui laissent voir la robe. *Free at last.* Je me suis fait plaisir. À partir d'un certain âge, la plupart des femmes aiment moins montrer leurs bras, et comme j'ai perdu pas mal de poids, je trouve que les miens bougent trop longtemps après que j'ai moi-même arrêté de bouger !

Le lancement de ma première collection a eu lieu en avril 2012. Toute ma famille, mes amies, mes proches et des tas de personnalités et de journalistes sont venus me souhaiter bonne chance, dont Lise Watier, une femme que j'aime depuis vingt-cinq ans. Je l'ai souvent interviewée. Quand elle me demandait comment j'allais, je savais qu'elle était intéressée par la réponse. Elle a rencontré ma famille et, chaque fois qu'elle m'offrait un cadeau, elle pensait aussi à mes sœurs et à ma mère.

Ma collection a même fait la première page du *Journal de Montréal*, grâce à Jean Airoldi, qui a lui consacré une page, un geste très généreux de la part de ce designer. Tout le monde a parlé de ma collection, qui était vendue sur mon site web soniabenezra.ca et à Shopping TVA.

Puis, juste au moment où je m'apprêtais à mettre en marché ma seconde collection, la direction a annoncé la fermeture définitive de Shopping TVA après vingt ans en ondes. Une fois encore, j'ai l'impression de m'être fait tirer le tapis sous les pieds. Je me suis retrouvée avec une superbe collection sur les bras, et pas de distributeur. Comme on dit dans le monde du sport, y'en aura pas de facile. J'ai dû retrousser mes manches pour trouver de nouveaux marchés.

Quand j'ai rencontré Moses Znaimer, quand TQS m'a offert un talkshow, quand Jenny Craig m'a demandé de devenir sa porte-parole, quand j'ai enfin eu l'occasion de créer ma collection de vêtements, toutes ces portes qui se sont ouvertes, ces occasions de changer ma vie étaient orchestrées par d'autres que moi pour me préparer à ce qui s'en vient.

Cette fois, j'ai décidé de prendre les choses en main. De devenir ma solution. Je n'ai pas attendu que quelqu'un d'autre le fasse à ma place.

Épilogue

Je ne regrette presque rien

Bien sûr, à la moitié de ma vie, j'aurais pu garder des rancunes. J'aurais pu me convaincre de la trahison de certains, de l'oubli d'autres. Mais ce n'est pas moi. Ce livre n'est surtout pas un héritage, pas plus qu'un bilan complet de ma vie – je suis bien trop jeune pour cela –, mais plutôt des morceaux choisis, car pour comprendre ce qu'on est on doit savoir d'où on vient.

J'aime profondément et véritablement les gens. Peut-être trop, peut-être pas de la bonne façon, mais j'ai été choyée par mes rencontres de tous ces milliers de destins. Ils m'ont aidée à forger ce que je suis devenue maintenant.

Je vis pleinement avec mes origines juives marocaines. S'il est vrai qu'elles m'ont parfois porté préjudice, elles m'ont permis de me dépasser et d'ouvrir d'autres portes, même celles dont j'ignorais l'existence. J'aime ma famille. Je regrette que mon père n'ait pas vécu assez longtemps pour voir ce que je suis devenue, mais ma mère, mes sœurs, mes neveux et nièces sont mon île, mon refuge.

Je ne joue pas avec les émotions. C'est ma vérité. Je suis émotive, et savez-vous quoi ? Je l'assume pleinement. On m'aime pour les « ma chérie », « mon chéri » que je sème très souvent. Ça, c'est moi.

Devrais-je en vouloir à ceux qui m'ont dit que j'étais trop gentille, comme si, dans la vie, il fallait absolument piler sur son voisin pour réussir ? Ce n'est pas moi. Probablement que, parfois, il m'aurait fallu plus de cran, mais du cœur au ventre, j'en ai toujours eu.

Comme la plupart des gens, je suis souvent entrée par la porte arrière, mais je suis arrivée au centre de la scène, car, peu importe par où on passe, ce qui est important, c'est d'arriver quelque part.

Les récentes années, j'ai beaucoup travaillé sur moi-même, sur ma façon de voir la vie, sur mon corps. J'ai perdu des êtres chers et j'en ai découvert d'autres. J'ai atteint un nouvel équilibre où le « trop » fait tranquillement place à l'« harmonie ». Celle qui m'emmène dans mon futur, dans mes projets et, oui, dans mes amours. Je n'ai renoncé à rien, au contraire.

Je n'ai pas dit mon dernier mot. Je crois, peut-être naïvement, que tout est encore possible, que le meilleur est peut-être à venir et que toutes les expériences vécues jusqu'à ce jour l'ont été pour ma quête du bonheur. Mais ça, c'est moi.

J'ai retrouvé ma joie de vivre, celle qui permet de franchir des montagnes. Ça, c'est moi. Que c'est bon de se retrouver !

Je ne suis pas devin, mais j'ai appris. J'ai beaucoup à donner. Je suis une professionnelle et je suis prête pour l'avenir. Je ne le connais pas, mais je le bâtis et il sera certainement rempli de surprises car, à l'instar de Jean Gabin, maintenant je sais qu'on ne sait jamais.

Maybe the journey isn't so much about becoming anything...
Maybe it's about un-becoming everything that isn't really you, so you can be who you were meant to be in the first place!!!

Peut-être que le but du voyage n'est pas de devenir quelqu'un... Peut-être qu'il s'agit de se libérer de tout ce qui n'est pas vraiment nous, afin de pouvoir être la personne que nous étions destiné à être au départ!

Remerciements

Ce livre est le fruit d'une année de travail avec une équipe formidable. J'aimerais souligner ma profonde gratitude envers Johanne Guay, mon éditrice, pour son dévouement tout au long de ce projet. Merci à toute l'équipe du Groupe Librex.

À Lise Ravary, ma valeureuse confidente. Merci d'avoir trouvé les mots lorsque j'en étais incapable.

À Barry Garber, mon agent des vingt dernières années, quel périple ça a été. Merci beaucoup !

Aux gens de la télévision et de la radio avec qui j'ai travaillé. Vous m'avez fait vivre certains des meilleurs moments de ma vie : MusiquePlus, MusiMax, TQS, TVA, CBC, CTV, 98,5, Q92 (The Beat 92.5).

Merci à Moses Znaimer, Pierre Marchand, Yves Tremblay, Laurent Gaudreau, Richard Laferrière, André Provencher, Marleen Beaulieu, André Larin et Vincent Leduc.

Et surtout à tous les artistes que j'ai eu la chance d'interviewer. Vos histoires ont touché mon âme. Merci de m'avoir fait confiance en me racontant vos hauts et vos bas.

Un très grand merci à mes *fans* adorés, vous avez été ma force. Merci pour votre amour, votre soutien et votre loyauté... et bien sûr pour mes quatre trophées MetroStar. Yé !

À mes amis et aux membres de ma famille immédiate ou éloignée, je vous aime tous. Eliane, ma meilleure amie, *you have been my Rock*, Marie-Claude, Francine, Robyn, Angela, Linda, Terry, Suzanne, Rocky, Simona, Vince, Crila, Momo, Nat, Nick, Frankie et bien sûr Gino, je vous aime tant.

À oncle Max et Tita Biba, Judy, Nissim (mon héros), Abie, Julianna, Zehava, Ron et Sem, mes beaux-frères adorés, toujours dans mon cœur.

À mes neveux Jesse et Shane et à mes nièces Alexandra et Chloé, je pourrais écrire un livre entier sur l'amour que je vous porte. Vous êtes ma fierté et ma joie.

Merci, papa, pour ton élégance modeste, et maman pour ton amour sans limites.

Et pour terminer, merci à mes sœurs Esther, Kelly et Myriam. Je veux que l'on sache que j'ai gagné à la loterie quand Dieu a fait de vous mes sœurs. Qui demanderait plus?

Et ça, ça vient de mon fond!

Suivez les Éditions Publistar sur le Web :
www.edpublistar.com

Cet ouvrage a été composé en ITC New Baskerville 12/15
et achevé d'imprimer en septembre 2014
sur les presses de Marquis Imprimeur, Québec, Canada.